Fast Track Chinese

汉语直通车

Moon Tan（檀月）

华语教学出版社

First Edition   2019

ISBN 978-7-5138-1649-6

Copyright 2019 by Sinolingua Co., Ltd

Published by Sinolingua Co., Ltd

24 Baiwanzhuang Road, Beijing 100037, China

Tel: (86) 10-68320585 68997826

Fax: (86) 10-68997826 68326333

http://www.sinolingua.com.cn

E-mail: hyjx@sinolingua.com.cn

Facebook: www.facebook.com/sinolingua

Printed by Jinghua Hucais Printing Co., Ltd

Printed in the People's Republic of China

PREFACE

Fast Track Chinese is designed for people who have no prior knowledge or minimal knowledge of Chinese Putonghua (Mandarin) but wish to learn to communicate with Chinese native speakers in social settings. It is an ideal textbook to use for anyone who wants to learn Chinese and can be effectively used in the classroom setting or for self study.

The Layout of the Book

The book consists of 25 main lessons which cover the most common situations encountered during everyday life. There are 5 summary lessons which will incrementally consolidate and assess the skills and knowledge gained from earlier lessons. Students will learn approximately 600 of the most frequently used Chinese words in this book.

About the 25 Main Lessons

Each of the main lessons includes about 24 new words, 5 key sentences, 4 dialogues, 3-4 language points, and 5-6 exercises. The dialogues cover different situations which are related to the topic of each lesson. The language points are explained in simple English and introduced in a logical way so that they can be easily understood and mastered. Exercises include vocabulary tests, grammar tests, listening comprehension, classroom activities, and writing Chinese characters.

About the 5 Summary Lessons

These can be found after every five lessons. Each summary lesson includes two parts:

- Part 1. Review

  The key grammar points and sentence patterns for the previous five lessons are arranged clearly in a chart with example sentences.

- Part 2. Test

  This includes Reading Comprehension and Using Language to assess students' ability to use vocabulary and grammatical structures through such items as filling in the blanks, multiple choice questions, and sentence construction.

Additional Content

A list of Abbreviations of Grammatical Terms

Summarizing Tables for grammar and keywords to form regular phrases

Special Characteristics of the Book

- Pinyin, Chinese characters, and English are used in a parallel format throughout the whole book so as to meet the needs of different learners.

- Using an interactive approach and placing emphasis on learning valuable communication skills, the book gives students the opportunity to gain confidence in using vocabulary and grammar most relevant to everyday situations, equipping students with the skills and confidence necessary to live and work in a Putonghua speaking environment.

- It is a concise and practical book that is easily used by both teachers and students.

Thank you for choosing this book. My personal experience leaves me confident that those who follow the journey through this book with genuine interest will make significant progress in their pursuit to acquire a contemporary and important world language.

Moon Tan

Contents

目录

Lesson 0 Standard Chinese & Pinyin

Hànyǔ hé pīnyīn

汉语和拼音

The standard language in China is called Putonghua (普通话), literally translated as 'common speech', which is known in the West as Mandarin Chinese. It is the most widely used language in China and the world at large, and one of the six official languages of the United Nations.

Pinyin (拼音) is the dominant system of Romanised transliteration and phonetic notation for standard Chinese. It was adopted as an official system in the People's Republic of China in 1958, and has since become a standard form used by news agencies as well as educational institutions. Pinyin, literally meaning 'spell sound', will be used throughout this book.

Chinese is based on characters. The phonetic unit of modern Chinese is a syllable with each syllable usually represented by one character. Each syllable is made up of an initial, a final and a tone in pinyin.

tone

Syllable = initial + final

The initial is a consonant that begins the syllable, and the final constitutes a vowel sound. The tone is the syllable's variation in pitch which can be rising, falling or continuing. There are 21 initials, 36 finals and 4 different tones in modern Mandarin Chinese. For example: míng (bright) in which m is the initial, ing is the final, and it is the 2nd tone, indicated by the mark placed over the main vowel i.

Initials

All consonants used as initials occur at the beginning of a syllable. The following is the complete list of 21 initial consonants followed by a brief pronunciation guide, with English words for reference:

b	p	m	f
d	t	n	l
g	k	h	
j	q	x	
z	c	s	
zh	ch	sh	r

b, p, m, f, d, t, n, l, g, k, h, s are pronounced in a similar way to those in English. b, d, g are unaspirated, while p, t, k are aspirated.

j	like	*jee*	in *jeep* (unaspirated)
q	like	*chee*	in *cheese*
x	like	*shee*	in *sheep* (with the corners of the lips drawn back)
z	like	*ds*	in *cards*
c	like	*ts*	in *cats*
s	like	*si*	in *silk*
zh	like	*j*	in *jelly*
ch	like	*ch*	in *march* (tongue curled back, aspirated)
sh	like	*sh*	in *wish*
r	like	*r*	in *road* (with the tongue loosely rolled in the middle of the mouth)

Finals

A final is a simple or compound vowel or a vowel plus a nasal consonant. A few syllables may have no initial consonant (e.g. ài: *love*) but every one has to have a vowel. The following table is a complete list of the 36 final vowels or compound vowels, again with a brief pronunciation guide using English words as a reference.

		i	u	ü
a		ia	ua	

o		uo	
e	ie		üe
er			
ai		uai	
ei		uei (ui)	
ao	iao		
ou	iou (iu)		
an	ian	uan	üan
en	in	uen (un)	ün
ang	iang	uang	
eng	ing	ueng	
ong	iong		

a   like   *a*   in *father*

o   like   *aw* in *saw*

e   like   *e*   in *her*

i   like   *ee* in *see* (*i* in *zi,ci, si, zhi, chi, shi,* and *ri* is pronounced
more like a buzz noise, not a long *i* like in *bi*)

u   like   *oe*   in *shoe*

ü   like   *eu*   in *pneumonia* (occurs only with the consonants *j,
q,x,n* and *l*).

ia   like   *yah*

ie   like   *ye*   in *yes*

er   like   *er*   in *sister*

ai   like   *y*   in *sky*

ei   like   *ay*   in *day*

ou   like   *owe*

an   like   *an*   in *man*

-ng   (final) a nasalized sound like the *ng* in *English*

uei, uen and iou when preceded by an initial, are written as ui, un and iu respectively

Tones

Chinese is a tonal language. There are four distinct tones in standard Chinese; they are the 1st tone, the 2nd tone, the 3rd tone, and the 4th tone. There are some syllables that do not have any tone mark, this is called the 'neutral tone'.

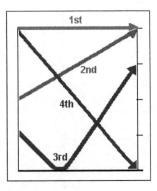

Tone	Mark	Note
1st	mā	High and level
2nd	má	Starts medium in tone, then rises to high
3rd	mǎ	Starts low medium, falls to the bottom, then rises to high
4th	mà	Starts at the top, then falls sharp and strong to the bottom
Neutral	ma	Flat, with no emphasis

Rules of spelling

(1) When there is no initial before the final i or ü in a syllable, we add the quasi-initial y before the final, e.g.

i → yi   ü → yu   üe → yue

When there is no initial before a compound final starting with i in a syllable, we change i into the quasi-initial y, e.g.

iao → yao   iou → you

(2) When there is no initial before a final starting with u, we add the quasi-initial w before the final, e.g.

u → wu   ua → wa   uai → wai

(3) When a final starting with ü is preceded by j, q, x or y, the two dots above ü are dropped, e.g.

ju   qu   xu   xun   yuan

(4) When preceded by initials, the finals iou and uei are shortened as iu and ui respectively while uen is written as un, e.g.

l + iou → liu   h + uei → hui   q + uen → qun

Tone changes

Each of the four tones, when followed by another, will typically undertake some changes, but the third tone changes most prominently. Here is a brief account of these changes:

1. The 3rd tone loses its final rise when followed by a 1st, 2nd, 4th or a neutral tone syllable, i.e. only the initial falling portion remains.

2. The 3rd tone changes to the 2nd tone when it is followed by another 3rd tone syllable, e.g. ní hǎo (你 好 -*hello*) is pronounced ní hǎo. But the syllable is still marked as a 3rd tone.

3. bù (不) is 4th tone, but it becomes 2nd tone when it comes before another 4th tone, e.g. búcuò (不错 - *not so bad*), bú qù (不去 - *not go*)

4. yī (一) is 1st tone as an ordinary number meaning '*one*'.

   yī becomes 4th tone if yī is followed by the 1st tone, 2nd tone, or 3rd tone, e.g.

   yì tiān (一天 - *one day*)

   yì nián (一年 - *one year*)

   yìqǐ (一起 - *together*)

   yī becomes 2nd tone if followed by a 4th tone, e.g.

   yíxià (一下 - *a bit, briefly*)

   yígòng (一共 - *altogether*)

Pinyin Practice

1. Pronunciation exercises

(1) Read the following initials out loud.

b	p	m	f
d	t	n	l
z	c	s	
zh	ch	sh	r
j	q	x	
g	k	h	

(2) Read the following simple finals out loud.

a   o   e   i   u   ü

(3) Contrast the sounds of the initials in each of the following groups.

z   c   s
{   {   {
j   q   x

```
  z        c        s
 {        {        {
 zh       ch       sh

  j        q        x
 {        {        {
 zh       ch       sh
```

2. Tone exercises (listen and repeat)

（1）the first tone

dōngtiān (冬天 *winter*)   gānbēi (干杯 *cheers*)

gōngsī (公司 *company*)   fēijī (飞机 *airplane*)

fēnzhōng (分钟 *minute*)   kāfēi (咖啡 *coffee*)

jīntiān (今天 *today*)   zhēnsī (真丝 *pure silk*)

zhōngxīn (中心 *centre*)

（2）the second tone

chángcháng (常常 *often*)   Déguó (德国 *Gemany*)

máotái (茅台 *Maotai*)   shínián (十年 *ten years*)

wénxué (文学 *literature*)   yínháng (银行 *bank*)

（3）the third tone

Běijīng (北京 *Beijing*)   kǎoyā (烤鸭 *roast duck*)

jiǔbā (酒吧 *pub*)   xiǎoshí (小时 *hour*)

lǚyóu (旅游 *to travel*)   hěn hǎo (很好 *very good*)

wǎngzhǐ (网址 *website*)   pǎobù (跑步 *to jog*)

zǒulù (走路 *to walk*)

（4）the fourth tone

dàgài (大概 *probably*)   dànshì (但是 *but*)

diànshì (电视 *television*)   zàijiàn (再见 *goodbye*)

xiànzài (现在 *now*)   kuàilè (快乐 *happy*)

jièshào (介绍 *to introduce*)   fàndiàn (饭店 *hotel*)

jìhuà (计划 *plan*)

（5）the neutral tone

xièxie (谢谢 *thanks*)   bú kèqi (不客气 *you're welcome*)

duìbuqǐ (对不起 *sorry*)   méi guānxi (没关系 *it doesn't matter*)

（6）tone changes

hěn hǎo (很好 *very good*)   kěyǐ (可以 *can*)

shuǐguǒ (水果 *fruit*)   yìzhí (一直 *straight*)

yìqǐ (一起 *together*)   yíyàng (一样 *same*)

bú rè (不热 *not hot*)   bú qù (不去 *not go*)

bú kàn (不看 *not see*)

（7）words with an er ending

nǎr (哪儿 *where*)   yìdiǎnr (一点儿 *a little*)

wánr (玩儿 *have fun*)

（8）Say the following numbers

líng	yī	èr	sān	sì	wǔ	liù	qī	bā	jiǔ	shí
0	1	2	3	4	5	6	7	8	9	10

3. Dictation exercises 🎧

（1）Listen to these words carefully, and then give them tone marks accordingly.

ni hao 你好 (*hello*)   fandian 饭店 (*hotel*)

fujin 附近 (*nearby*)   youming 有名 (*famous*)

yisheng 医生 (*doctor*)   laoshi 老师 (*teacher*)

Hanyu 汉语 (*Mandarin*)   mingtian 明天 (*tomorrow*)

（2）Practise for j, q, x. Listen to the words carefully, and then write down the pinyin.

_____ 鸡 (*chicken*)   _____ 去 (*to go*)

_____ 西 (*west*)   _____ 家 (*home*)

_____ 七 (*seven*)   _____ 虾 (*prawn*)

_____ 叫 (*be called*)   _____ 钱 (*money*)

_____ 想 (*want to*)   _____ 街 (*street*)

_____ 请 (*please*)   _____ 小 (*small*)

_____ 今天 (*today*)   _____ 秋天 (*autumn*)

_____ 先生 (*Mr*)   _____ 经理 (*manager*)

_____ 裙子 (*skirt*)   _____ 姓名 (*full name*)

（3）Practise for z, c, s. Listen to the words carefully, and then write down the pinyin.

_____ 早 (*morning*)   _____ 菜 (*vegetable*)

_____ 三 (*three*)   _____ 在 (*be at, in*)

_____ 次 (*times*)   _____ 四 (*four*)

_____ 走 (*to walk*)   _____ 从 (*from*)

_____ 岁 (*age*)   _____ 紫色 (*purple*)

_____ 辞典 (*dictionary*)　　　　_____ 虽然 (*although*)

(4) Practise for zh, ch, sh, r. Listen to the words carefully, and then write down the *pinyin*.

_____ 找 (*look for*)　　　　_____ 这 (*this*)

_____ 中国 (*China*)　　　　_____ 茶 (*tea*)

_____ 车 (*vehicle*)　　　　_____ 吃 (*to eat*)

_____ 是 (*to be*)　　　　_____ 书 (*book*)

_____ 什么 (*what*)　　　　_____ 人 (*people*)

_____ 日 (*sun*)　　　　_____ 认识 (*to know*)

 **Greetings**

问候

 Key sentences

1. 你好!   Nǐ hǎo!
2. 你好吗?   Nǐ hǎo ma?
3. 你最近忙不忙?   Nǐ zuìjìn máng bù máng?
4. 你怎么样?   Nǐ zěnmeyàng?
5. 我很忙,你呢?   Wǒ hěn máng, nǐ ne?

 New words

1.	你好	nǐ hǎo	i.e	*hello*
2.	你	nǐ	pron	*you*
3.	好	hǎo	adj	*good, well*
4.	们	men	affix	*a plural form*
5.	大家	dàjiā	pron	*everybody*
6.	老师	lǎoshī	n	*teacher*
7.	吗	ma	pt	*a question marker*
8.	我	wǒ	pron	*I, me*
9.	很	hěn	adv	*very*
10.	呢	ne	pt	*a particle for follow-up questions*
11.	也	yě	adv	*also, too, either*

12.	最近	zuìjìn	adv	*recently, lately*
13.	忙	máng	adj	*busy*
14.	不	bù	adv	*no, not*
15.	累	lèi	adj	*tired*
16.	怎么样	zěnmeyàng	q.w	*how are things?*
17.	不错	búcuò	adj	*not bad, pretty good*
18.	马马虎虎	mǎmǎhūhū	adj	*so-so*
19.	他	tā	pron	*he, him*
20.	再见	zàijiàn	i.e	*goodbye, see you again*
21.	再	zài	adv	*again*
22.	见	jiàn	v	*meet, see*
23.	方兰	Fāng Lán	p.n	*a Chinese name*
24.	高朋	Gāo Péng	p.n	*a Chinese name*

 Dialogues

(1)

(Saying hello to people)

A: Nǐ hǎo !　　　　　　　　　　*Hello!*
你 好!

B: Nǐmen hǎo!　　　　　　　　*Hello to all of you!*
你们 好!

A: Dàjiā hǎo!　　　　　　　　　*Hello everybody!*
大家 好!

B: Lǎoshī hǎo !　　　　　　　　*Hello teacher!*
老师 好!

(2)

A: Nǐ hǎo ma?
你 好 吗?

How are you?

B: Wǒ hěn hǎo. Nǐ ne?
我 很 好。你 呢?

I'm very well. And you?

A: Wǒ yě hěn hǎo.
我 也 很 好。

I'm very well, too.

(3)

(Greeting a colleague)

A: Nǐ hǎo !
你 好!

Hello!

B: Nǐ hǎo! Nǐ zuìjìn máng bù máng?
你 好! 你 最近 忙 不 忙?

Hello! Have you been busy lately?

A: Wǒ bù máng. Nǐ ne?
我 不 忙。你 呢?

I'm not busy. How about you?

B: Wǒ hěn máng, yě hěn lèi.
我 很 忙,也 很 累。

I'm very busy, and tired too.

(4)

(Greeting informally)

A: Fāng Lán, nǐ hǎo ! Nǐ zěnmeyàng?
方 兰,你 好! 你 怎么样?

Hi, Fang Lan, how are things going?

B: Wǒ búcuò, nǐ ne?
我 不错,你 呢?

Pretty good, and you?

A: Mǎmǎhūhū.
马马虎虎。

So-so.

B: Gāo Péng ne? Tā zěnmeyàng?　　　*How about Gao Peng? How is*
　　高　朋　呢？他 怎 么 样？　　　*he?*

A: Tā búcuò, tā hěn máng.　　　　　*He is not so bad, but busy.*
　　他 不 错，他 很　忙。

B: Zàijiàn!　　　　　　　　　　　*Goodbye!*
　　再见！

A: Zàijiàn!　　　　　　　　　　　*Goodbye!*
　　再见！

Language Points

1. Simple sentence pattern (1) — Subject + Adjective

In Chinese some adjectives are similar to verbs in function, especially adjectives used to describe feelings, emotions, mood and status; they can be used directly as predicates without the copulative verb 'to be'. For example:

　　　Nǐ hǎo !　　　　　　*Hello!*　　*(literally: You well)*
(1) 你 好！

　　　Wǒ máng.　　　　　　*I am busy. (literally: I busy)*
(2) 我　忙。

　　　Tā gāoxìng.　　　　　*He is happy.*　　*(literally: He happy)*
(3) 他 高 兴。

2. Question forms

(1) 吗 ma question:

Simply put 吗 ma at the end of a statement sentence without changing the word order to make it a question. For example:

	Nǐ hǎo ma?	How are you?
1)	你 好 吗?	

	Nǐ máng ma?	Are you busy?
2)	你 忙 吗?	

To answers this type of question, if positive, just repeat the verb or adjective. If negative, put 不 before the verb or adjective. For example:

Wǒ bù máng.   *I am not busy.*
我 不 忙。

(2) Choice type question:

This is also called a YES/NO question. The construction is:

Verb/Adjective + 不 bù + Verb/Adjective

For example:

	Nǐ máng bù máng?	Are you busy?
1)	你 忙 不 忙?	

	Tā lèi bú lèi?	Is he tired?
2)	他 累 不 累?	

(3) 呢 ne question:

Used in a follow-up question with a known context without the need to repeat the whole question. It resembles 'And…?' or 'what about…' in English. For example:

Wǒ hěn hǎo. Nǐ ne?   *I am very well. How about you?*
我 很 好。你 呢?

(4) 怎么样 zěnmeyàng question:

Used as a greeting among colleagues, friends, and people who are familiar with each other. For example:

Nǐ zěnmeyàng?   *How are you? / How are things going?*
你 怎 么 样?

3. Adverbs

Chinese adverbs never go before nouns, pronouns or at the end of sentences. For example:

	Wǒ hěn hǎo.	*I'm very well.*
1)	我 很 好。	

	Wǒ yě hěn hǎo.	*I am also very well.*
2)	我 也 很 好。	

Here both 很 hěn and 也 yě are adverbs. 很 hěn is expressing degree while 也 yě is expressing repetition.

4. The expression of plural forms

Nouns do not have plural form, and verbs have no single forms in Chinese. However, personal pronouns do have plural forms. Simply add 们 men after the pronoun to change it into a plural. See the table below:

Table 1. Chinese personal noun

	Singular		Plural	
1st person	我 wǒ	*I, me*	我们 wǒmen	*we, us*
2nd person	你 nǐ	*you*	你们 nǐmen	*you (plural)*
3rd person	他 tā	*he, him*	他们 tāmen	*they, them*
	她 tā	*she, her*	她们 tāmen	*they, them (for females)*

Exercises

1. Say the following words or phrases in Chinese.

1) hello   2) goodbye   3) thanks   4) not so bad

5) very good   6) good   7) everybody   8) recently

9) very tired   10) so-so

2. Fill in the blanks with the words given; each word can only be used once.

a. 怎么样 zěnmeyàng   b. 不 bù   c. 也 yě   d. 吗 ma   e. 呢 ne

Nǐ zuìjìn máng _____ ?
1) 你最近 忙_____ ?

Nǐ _____ ?
2) 你 _____ ?

Wǒ hěn máng, _____ hěn lèi.
3) 我 很 忙， _____ 很 累。

Fānglán zuìjìn hěn máng, nǐ _____ ?
4) 方 兰 最近 很 忙， 你_____ ?

Wǒ _____ máng.
5) 我 _____ 忙。

3. Choose the correct answer for each conversation.

Nǐ hǎo !
1) A: 你好!

    Wǒ hǎo.   Hěn hǎo.   Nǐ hǎo !   Nǐ ne ?
  B: a. 我 好。   b. 很 好。   c. 你 好!   d. 你呢?

Nǐ hǎo ma ?
2) A: 你 好 吗?

    Nǐ hǎo !   Wǒ yě hěn hǎo.   Nǐ ne?   Wǒ hěn hǎo.
  B: a. 你好!   b. 我 也 很 好。 c. 你 呢?   d. 我 很 好。

Nǐ máng bù máng ?
3) A: 你 忙 不 忙?

    Yě máng.   Wǒ bù máng.   Wǒ hěn lèi.   Nǐ ne ?
  B: a. 也 忙。   b. 我 不 忙。   c. 我 很 累。   d. 你 呢?

Nǐ zěnmeyàng ?
4) A: 你 怎 么 样?

    Nǐ hǎo.   Mǎmǎhūhū.   Nǐ hǎo ma ?   Nǐ ne ?
  B: a. 你好。   b. 马 马 虎 虎。 c. 你 好 吗?   d. 你 呢?

Wǒ hěn lèi，nǐ ne ?
5) A: 我 很 累, 你 呢?

    Yě hěn lèi.   Nǐ lèi ma ?   Wǒ hěn hǎo.   Hěn máng.
  B: a. 也 很 累。   b. 你 累 吗?   c. 我 很 好。   d. 很 忙。

4. Translate the following dialogues into Chinese.

1) A: Hello, Mark!

    B: Hello, Helen!

    A: How are you?

    B: I'm very well. How about you?

    A: I'm very well, too. Thanks!

2) A: Jack, how are you?

    B: Just so-so. And you?

    A: I'm so-so, too.

3) A: Anna, how are things going?

    B: Not so bad. What about you?

    A: Not so bad, either.

4) A: David, have you been busy recently?

B: No. And you?

A: I've been very busy.

5) A: Lucy, are you tired?

B: Yes. I am so tired. How about you?

A: I am tired, too.

5. Listening Comprehension

Circle the correct answer according to the phrases you hear.

1)	a. How are you?	b. Hello!	c. How are things?
2)	a. How are you?	b. Goodbye!	c. Hello!
3)	a. I am very well.	b. Hello!	c. How are things?
4)	a. I am very well.	b. So-so.	c. Not bad.
5)	a. So-so.	b. Not bad.	c. Goodbye!
6)	a. I am very well.	b. Not bad.	c. So-so.
7)	a. Hello!	b. Goodbye!	c. See you tomorrow.
8)	a. See you tomorrow.	b. Goodbye!	c. How are things?

6. Classroom Activities

Greet your classmates and reply to each other in different ways.

7. Learning Chinese Characters

你									
好									
再									
见									

Lesson 2 Introductions

Jièshào

介绍

Key sentences

1. 请问，您贵姓？   Qǐngwèn, nín guìxìng?
2. 你姓什么？   Nǐ xìng shénme?
3. 你叫什么名字？   Nǐ jiào shénme míngzi?
4. 她是谁？   Tā shì shuí?
5. 她是我的老师。   Tā shì wǒ de lǎoshī.

New words

1.	请问	qǐngwèn	i.e	*may I ask, excuse me*
2.	请	qǐng	v	*please*
3.	问	wèn	v	*ask*
4.	您贵姓	nín guìxìng	i.e	*what's your surname? (polite)*
5.	您	nín	pron	*you (polite)*
6.	贵	guì	adj	*honoured, noble, expensive*
7.	姓	xìng	v	*be surnamed*
8.	女士	nǚshì	n	*Ms*
9.	先生	xiānsheng	n	*Mr; gentleman, husband*
10.	认识	rènshi	v	*recognise, know*
11.	高兴	gāoxìng	adj	*happy, glad*

12.	叫	jiào	v	call, be called
13.	名字	míngzi	n	name
14.	她	tā	pron	she, her
15.	是	shì	v	to be
16.	谁	shuí /shéi	q.w	who
17.	的	de	pt	of, ~'s (possessive particle)
18.	都	dōu	adv	all, both
19.	朋友	péngyou	n	friend
20.	这	zhè	pron	this
21.	那	nà	pron	that
22.	马	Mǎ	p.n	a Chinese surname
23.	王	Wáng	p.n	a Chinese surname
24.	王小玉	Wáng Xiǎoyù	p.n	a Chinese name

 **Dialogues**

(1)

(Asking for a name formally)

A: Qǐngwèn, nín guìxìng?　　　　　　　*Excuse me, may I know your surname?*
　　请　问，您 贵姓？

B: Wǒ xìng Mǎ. Nín ne?　　　　　　　*My surname is Ma. And you?*
　　我　姓 马。您 呢？

A: Wǒ xìng Wáng.　　　　　　　　　　*My surname is Wang.*
　　我　姓　王。

B: Wáng nǚshì, nín hǎo !　　　　　　　*How do you do, Ms Wang?*
　　王　女士，您　好！

A: Nín hǎo, Mǎ xiānsheng !　　　　　　*How do you do, Mr Ma?*
　　您　好，马　先 生！

B: Rènshi nín hěn gāoxìng.　　　　　　*Happy to meet you.*
　　认识 您 很　高　兴。

A: Wǒ yě hěn gāoxìng.
我也很 高兴。

Happy to meet you, too.

(2)

(Asking for a name informally)

A: Nǐ jiào shénme míngzi?
你 叫 什么 名字?

What is your name?

B: Wǒ jiào Wáng Xiǎoyù. Nǐ ne?
我 叫 王 小玉。你呢?

My name is Wang Xiaoyu. And you?

A: Wǒ jiào Fāng Lán.
我 叫 方 兰。

My name is Fang Lan.

B: Hěn gāoxìng rènshi nǐ.
很 高兴 认识你。

Happy to meet you.

A: Wǒ yě hěn gāoxìng.
我也很 高兴。

Happy to meet you, too.

(3)

(Asking for somebody's name)

A: Qǐngwèn, tā shì shuí?
请 问,她是 谁?

Can I ask who she is?

B: Tā shì wǒ de lǎoshī.
她 是 我 的 老师。

She is my teacher.

A: Tā xìng shénme?
她 姓 什么？

What is her surname?

B: Tā xìng Fāng, jiào Fāng Lán.
她 姓 方, 叫 方 兰。

Her surname is Fang. She is called Fang Lan.

(4)

(Wishing to know new friends)

A: Qǐngwèn, tāmen shì shuí?
请 问, 他们 是 谁？

Excuse me, who are they?

B: Tāmen dōu shì wǒ de péngyou.
他们 都 是 我 的 朋 友。

They are all my friends.

A: Zhè shì Wáng Xiǎoyù, nà shì
这 是 王 小 玉, 那 是

This is Wang Xiaoyu, that is Gao Peng.

Gāo Péng.
高 朋。

 Language Points

1. Simple sentence pattern (2) — Subject + Verb + Object

For example:

Wǒ xìng Wáng.
1) 我 姓 王。

My surname is Wang.

Tā jiào Fāng Lán.
2) 她 叫 方 兰。

She is called Fang Lan.

Zhè shì Mǎ xiānsheng.
3) 这 是 马 先 生。

This is Mr Ma.

2. 您贵姓 Nín guìxìng ?

This is a respectful and polite way of asking for someone's surname. It's a fixed phrase, and it is wrong to say: 我贵姓 wǒ guìxìng or 他贵姓 tā guìxìng.

3. Question with a question word

This sentence pattern is "Subject + Verb + Question Word + (Object)".

For example:

1)	Nǐ xìng shénme? 你 姓 什么?		*What is your surname?*
2)	Tā shì shuí? 他 是 谁?		*Who is he?*
3)	Nǐ jiào shénme míngzi? 你 叫 什么 名字?		*What is your name?*

To answer this kind of question, simply replace the question words in the sentence with the answer. For example:

1)	Tā shì shuí? 她 是 谁?	*Who is she?*
	Tā shì Fāng Lán. 她 是 方 兰。	*She is Fang Lan.*
2)	Nǐ xìng shénme? 你 姓 什么?	*What is your surname?*
	Wǒ xìng Wáng. 我 姓 王。	*My surname is Wang.*

4. The structural particle 的 de

Here 的 is used to express possession, like using the English word 'of' (or using an apostrophe plus 's'). For example:

1)	tā de míngzi 他的 名字	*his name*
2)	wǒmen de lǎoshī 我 们 的 老师	*our teacher*

With close relationships one can leave out the 的 de. For example:

1)	wǒ māma 我 妈 妈	*my mum*
2)	wǒ jiā 我 家	*my home*

5. Addressing Chinese people

Surnames appear before titles in Chinese.

Table 2. Titles used to address people

Surname	Title	English
王 Wáng	女士 nǚshì	*Ms Wang*
马 Mǎ	先生 xiānsheng	*Mr Ma*

高 Gāo	小姐 xiǎojiě	*Miss Gao*
方 Fāng	老师 lǎoshī	*Teacher Fang*

 **Exercises**

1. Match the Chinese with the English.

1) 先生 xiānsheng   a. this

2) 太太 tàitai   b. glad, happy

3) 小姐 xiǎojiě   c. excuse me

4) 朋友 péngyou   d. that

5) 这 zhè   e. Mrs

6) 那 nà   f. Mr

7) 请问 qǐngwèn   g. friend

8) 高兴 gāoxìng   h. Miss

2. Fill in the blanks with the words given; each word can only be used once.

a. 谁 shuí   b. 什么 shénme   c. 姓 xìng   d. 请问 qǐngwèn   e. 那 nà

          , nín guìxìng?
1) _____，您 贵姓?

       Tā shì _____?
2) 他 是 _____?

       _____ shì bú shì Fāng lǎoshī?
3) _____ 是 不 是 方 老师?

       Nǐ jiào _____ míngzi?
4) 你 叫 _____ 名字?

       Tā _____ shénme?
5) 她 _____ 什 么?

3. Translate the following sentences into English.

       Nín guìxìng?
1) 您 贵姓?

       Zhè shì shénme?
2) 这 是 什 么?

3)
Mǎ xiānsheng hěn gāoxìng.
马 先 生 很 高 兴。

4)
Wǒ de péngyou jiào Jiékè.
我 的 朋 友 叫 杰 克。

5)
Wáng xiǎojiě shì wǒ de hǎo péngyou.
王 小 姐 是 我 的 好 朋 友。

4. Translate the following sentences into Chinese.

1) My surname is Scott.

2) I am called Emma.

3) Happy to meet you.

4) What is your name?

5) Excuse me, is she Miss Zhang?

5. Listening Comprehension

Mark true (T) or false (F) according to the short dialogues.

1) Her surname is Yang.   (   )

2) Her name is Lin Xiaohong.   (   )

3) He is not Wang Feng.   (   )

4) His surname is also Zhao.   (   )

5) His surname is Liu.   (   )

6. Classroom Activities

Get to know each other in class and introduce two of your friends to your classmates.

7. Learning Chinese Characters

我							
他							
她							
们							

Lesson 3 Countries & Languages

Guójí hé yǔyán
国籍和语言

 Key sentences

1. 我来介绍一下。
   Let me introduce
   Wǒ lái jièshào yíxià.
2. 他是英国人，来自伦敦。
   They are english from London
   Tā shì Yīngguórén, láizì Lúndūn.
3. 你是哪国人？
   What is your nationality?
   Nǐ shì nǎ guó rén?
4. 荷兰人说什么语？
   Holland what language?
   Hélánrén shuō shénme yǔ?
5. 你是哪里人？
   Where are you from?
   Nǐ shì nǎli rén?

 **New words**

1.	中国	Zhōngguó	p.n	*China*
2.	国	guó	n	*country, state*
3.	人	rén	n	*people, person*
4.	来自	láizì	v	*be from, come from*
5.	说	shuō	v	*speak*
6.	汉语	Hànyǔ	n	*Chinese*
7.	语	yǔ	n	*language*
8.	来	lái	v	*let, allow, come*
9.	介绍	jièshào	v	*introduce*
10.	一下	yíxià	adv	*briefly, a bit*
11.	英国	Yīngguó	p.n	*Britain, UK*

12. 英语	Yīngyǔ	n	*English language*
13. 和	hé	conj	*and*
14. 法语	Fǎyǔ	n	*French language*
15. 哪	nǎ	q.w	*which*
16. 意大利	Yìdàlì	p.n	*Italy*
17. 荷兰	Hélán	p.n	*Netherlands*
18. 德语	Déyǔ	n	*German language*
19. 哪里	nǎli	q.w	*where*
20. 太太	tàitai	n	*Mrs, wife*
21. 北京	Běijīng	p.n	*Beijing*
22. 伦敦	Lúndūn	p.n	*London*
23. 上海	Shànghǎi	p.n	*Shanghai*
24. 琼斯	Qióngsī	p.n	*Jones*
25. 罗杰	Luójié	p.n	*Roger*

 Dialogues

(1)

(Introducing oneself)

Dàjiā hǎo !
大家 好!

Hello everybody!

Wǒ xìng Gāo, jiào Gāo Péng.
我 姓 高, 叫 高 朋。

My surname is Gao. I'm called Gao Peng.

Wǒ shì Zhōngguórén, láizì Běijīng.
我 是 中 国人, 来自北京。

I am Chinese, from Beijing.

Wǒ shuō Hànyǔ.
我 说 汉语。

I speak Chinese.

(2)

(Introducing somebody else)

Nǐmen hǎo ! Wǒ lái jièshào yíxià.
你们 好! 我来介绍一下。

Tā xìng Qióngsī, jiào Luójié.
他 姓 琼 斯, 叫 罗杰。

Tā shì Yīngguórén, láizì Lúndūn.
他 是 英国人, 来自伦敦。

Tā shuō Yīngyǔ hé Fǎyǔ.
他 说 英 语和法语。

Hello! Let me introduce my friend briefly.

His surname is Jones, and he is called Roger.

He is British, from London.

He speaks English and French.

(3)

(Talking about nationality & language)

A: Qǐngwèn, nǐ shì nǎ guó rén?
请 问, 你是 哪 国 人?

May I ask what your nationality is?

B: Wǒ shì Yìdàlìrén. Nǐ ne?
我 是 意大利人。你呢?

I am Italian. How about you?

A: Wǒ shì Hélánrén.
我 是 荷兰人。

I am Dutch.

B: Hélánrén shuō shénme yǔ?
荷兰人 说 什么 语?

What language do the Dutch people speak?

A: Shuō Hélányǔ, Déyǔ hé Yīngyǔ.
说 荷兰语、德语 和 英 语。

They speak Dutch, German and English.

(4)

(Asking somebody's hometown)

A: Qǐngwèn, nǐ shì nǎli rén?
请 问, 你是 哪里 人?

May I ask where you are from?

B: Wǒ shì Běijīngrén.
我 是 北京人。

I am from Beijing.

A: Nǐ tàitai ne? Tā yě shì Běijīng-
你太太 呢? 她也是 北京

rén ma?
人 吗?

How about your wife? Is she from Beijing, too?

B: Bú shì, tā shì Shànghǎirén.
不 是, 她是　上海人。

No, she is from Shanghai.

Language Points

1. Countries, people and languages

1) If the name of a country is a single syllable word, 国 guó needs to be added after its name. To indicate the nationality of the people from a specific country, just add 人 rén after the country's name. For languages, 语 yǔ is usually placed after the name of the country. See the table below:

Table 3. Countries, people and their languages (1)

Country			People			Language		
Zhōng 中	guó +国	China	Zhōngguó 中国	rén +人	Chinese	Hàn 汉	yǔ +语	Chinese
Yīng 英		Britain	Yīngguó 英国		British	Yīng 英		English
Fǎ 法		France	Fǎguó 法国		French	Fǎ 法		French
Dé 德		Germany	Déguó 德国		German	Dé 德		German

2) If the name of a country has more than one syllable, 国 guó can be omitted.

Table 4. Countries, people and their languages (2)

Country		People		Language	
Yìdàlì 意大利	Italy	rén +人	Italian	yǔ +语	Italian
Hélán 荷兰	Netherlands		Dutch		Dutch
Xībānyá 西班牙	Spain		Spanish		Spanish
Dānmài 丹麦	Denmark		Dane		Danish

2. Verb + 一下 yíxià

一下 yíxià means 'briefly, a bit, in a short while'.

It is related to actions or movement. It can soften the tone of an expression so that it sounds less formal. It is normally used in spoken language. For example:

Wǒ lái jièshào yíxià...
1) 我 来 介绍 一下……   *Let me introduce briefly.*

Wǒ lái shuō yíxià...
2) 我 来 说 一下……   *Let me speak briefly.*

3. Questions with 哪 nǎ

哪 nǎ is a question word that means 'which'. Usually it cannot be used alone. It is often followed by other words, such as: 哪国 nǎ guó，哪国人 nǎ guó rén，哪里 nǎli，哪儿 nǎr, etc.

 **Exercises**

1. Match the Chinese with the English.

1) 也 yě   a. to speak

2) 国 guó   b. language

3) 人 rén   c. also, too

4) 语 yǔ   d. both, all

5) 是 shì   e. people, person

6) 说 shuō   f. am/is/are

7) 都 dōu   g. to be called

8) 叫 jiào   h. country, state

2. Say the following in Chinese.

1) Country names:

China   Britain   USA   France   Russia   Germany

Canada   Japan   Italy   Denmark   Netherlands   Spain

2) People:

Chinese   British   French   German

Canadian   Italian   Japanese   Dane

3) Languages:

Chinese   English   French   Italian   German

Japanese   Arabic   Spanish   Russian   Indonesian

3. Fill in the blanks with the words given; each word can only be used once.

a. 都 dōu	b. 哪 nǎ	c. 说 shuō	d. 来自 láizì	e. 也 yě
f. 是 shì	g. 一下 yíxià	h. 什么 shénme		

1) Wǒ _____ Zhōngguórén.
    我 _____ 中 国 人。

2) Tā shì _____ dìfang rén ?
    他 是 _____ 地 方 人?

3) Tā _____ Bālí.
    他 _____ 巴黎。

4) Tā _____ Fǎyǔ.
    他 _____ 法语。

5) Wǒ lái jièshào _____.
    我 来 介绍 _____。

6) Wǒmen _____ shì Yīngguórén.
    我们 _____ 是 英 国 人。

7) Nǐ shì _____ guó rén?
    你是 _____ 国 人?

8) Nǐ tàitai _____ shuō Fǎyǔ ma?
    你 太 太 _____ 说 法语 吗?

4. Translate the following sentences into Chinese.

1)   Are you French?

2) I am not French. I am Spanish.

3) Do you speak Japanese?

4) What's your nationality?

5) Lucy is not English. She is Canadian.

6) His wife speaks German.

7) Anna doesn't speak Italian. She speaks Spanish.

8) We all speak Chinese.

5. Listening Comprehension

Mark true (T) or false (F) according to the short dialogues.

1) She is Italian.   (   )

2) She speaks German.   (   )

3) He is American.   (   )

4) He is not French.   (   )

5) He comes from Hamburg.   (   )

6. Classroom Activities

1) Working in pairs:

Ask each other's names, nationalities, hometown and the languages you speak.

2) Group work:

First, introduce yourself; then, introduce one of your classmates. Give information about your classmate's name, nationality, hometown and the languages he/she speaks.

7. Learning Chinese Characters

中									
国									
人									
语									

Lesson 4 Dates

Rìqī
日期

Key sentences

1. 今天几号？   Jīntiān jǐ hào?
2. 明天星期几？   Míngtiān xīngqī jǐ?
3. 现在几月？   Xiànzài jǐ yuè?
4. 你的生日是几月几号？   Nǐ de shēngrì shì jǐ yuè jǐ hào?
5. 圣诞节是哪天？   Shèngdàn Jié shì nǎ tiān?

New words

1. 一	yī	num	*one*
2. 二	èr	num	*two*
3. 三	sān	num	*three*
4. 四	sì	num	*four*
5. 五	wǔ	num	*five*
6. 六	liù	num	*six*
7. 七	qī	num	*seven*
8. 八	bā	num	*eight*
9. 九	jiǔ	num	*nine*
10. 十	shí	num	*ten*
11. 零	líng	num	*zero*

12.	今天	jīntiān	t.w	today
13.	天	tiān	n	day
14.	几	jǐ	q.w	how many, what (date, time)
15.	号	hào	n	date, number, size
16.	明天	míngtiān	t.w	tomorrow
17.	星期	xīngqī	n	week, day of the week
18.	今年	jīnnián	t.w	this year
19.	年	nián	n	year
20.	昨天	zuótiān	t.w	yesterday
21.	现在	xiànzài	adv	now, at the moment
22.	月	yuè	n	month
23.	春节	Chūn Jié	n	Spring Festival (Chinese New Year)
24.	圣诞节	Shèngdàn Jié	n	Christmas
25.	生日	shēngrì	n	birthday
26.	日	rì	n	date, day (formal)

 Dialogues

(1)

(Asking about dates)

A: Jīntiān jǐ hào?
今天 几号?

What is the date today?

B: Jīntiān sān hào.
今天 三 号。

Today is the 3rd.

A: Míngtiān xīngqī jǐ?
明 天 星 期几?

What day is tomorrow?

B: Míngtiān xīngqīsì.

明　天　星期四。

Tomorrow is Thursday.

(Talking about dates)

A: Jīntiān shì xīngqīwǔ ma?

今天　是　星期五吗?

Is it Friday today?

B: Bú shì, jīntiān shì xīngqīsì.

不是，今天　是　星期四。

No, today is Thursday.

A: Jīntiān shì bú shì liù hào?

今天　是不是六号?

Is it the 6th today?

B: Bú shì, zuótiān shì liù hào.

不是，昨天　是六号。

No, yesterday was the 6th.

Jīntiān shì qī hào.

今天　是七号。

Today is the 7th.

(Asking a particular date)

A: Xiànzài jǐ yuè?

现在　几月?

What month is it now?

B: Xiànzài yī yuè.

现在　一月。

It is January.

A: Jīnnián Chūn Jié shì jǐ yuè jǐ hào?

今年　春节 是几月几号?

When is the Chinese New Year?

B: Yī yuè èrshíbā hào.

一月二十八号。

28 January.

A: Shèngdàn Jié shì nǎ tiān?

圣诞　节是哪天?

When is Christmas?

B: Shí'èr yuè èrshíwǔ hào.

十二月二十五号。

25 December.

(Asking somebody's birthday)

A: Nǐ de shēngrì shì jǐ yuè jǐ hào?　　*When is your birthday?*
　　你 的　生 日 是 几 月 几 号?

B: Jiǔ yuè shíqī hào. Nǐ ne?　　*17 September, and you?*
　　九　月 十 七 号。你 呢?

A: Wǒ de shēngrì shì bā yuè　　*My birthday is 31 August.*
　　我 的　生 日 是 八 月

　　sānshíyī hào.
　　三 十 一 号。

B: Nǎ nián?　　*Which year?*
　　哪　年?

A: Èr líng líng yī nián.　　*2001.*
　　二 零　零 一 年。

 **Language Points**

1. Year, month, date and day of the week

1) Year: To express a particular year, simply say the numbers individually followed by 年 nián. For example:
The year 1985: 一九八五年 yī jiǔ bā wǔ nián

2) Month: The names of the twelve months are formed by adding 月 yuè to each of the numerals from 1 to 12. For example:

January: 一月 yī yuè; February: 二月 èr yuè... etc.

3) Date: A date is expressed in the same way as the month except that 号 hào or 日 rì should be added to each of the numerals from 1 to 31. Usually 号 hào is used in spoken language, while 日 rì is used in writing. For example:

1st: 一号 yī hào / 日 rì; 12th: 十二号 shí'èr hào / 日 rì; 31st: 三十一号 sānshíyī hào / 日 rì

4) Days of the week: The days of the week are expressed by putting 星期 xīngqī before each of the numerals from 1 to 6. But Sunday is different from Monday - Saturday. Instead of a numeral, 日 rì or 天 tiān is used after 星期 xīngqī. For example:

Monday: 星期一 xīngqīyī; Tuesday: 星期二 xīngqī'èr... etc.
Sunday: 星期日 xīngqīrì / 天 tiān

2. The order of date

The order of a date expressed in Chinese is the reverse of that used in English. The order goes year, month, date, and the day of the week. For example:

Sunday, 2 June 2019: 二零一九年六月二日星期日 èr líng yī jiǔ nián liù yuè èr rì xīngqīrì

3. Question word 几 jǐ

When 几 jǐ is used to ask about the day and date, it means 'which' rather than 'how many'. For example:

1) Jīntiān jǐ hào?
今 天 几号?

What is the date today? (Literally: Today is which date?)

2) Míngtiān xīngqī jǐ?
明 天 星 期几?

What day is tomorrow? (Literally: Tomorrow is which day?)

Table 5. Chinese numerals

In Chinese, the decimal system is used for numeration.

1-10		11-19			20-90			Others		
1	yī 一	11	*10+1*	shíyī 十一						
2	èr 二	12	*10+2*	shí'èr 十二	20	*2×10*	èrshí 二十	21	*2×10+1*	èrshíyī 二十一

1-10		11-19			20-90			Others		
3	sān 三	13	10+3	shísān 十三	30	3×10	sānshí 三十	22	2×10+2	èrshí'èr 二十二
4	sì 四	14	10+4	shísì 十四	40	4×10	sìshí 四十	23	2×10+3	èrshísān 二十三
5	wǔ 五	15	10+5	shíwǔ 十五	50	5×10	wǔshí 五十	39	3×10+9	sānshíjiǔ 三十九
6	liù 六	16	10+6	shíliù 十六	60	6×10	liùshí 六十	49	4×10+9	sìshíjiǔ 四十九
7	qī 七	17	10+7	shíqī 十七	70	7×10	qīshí 七十	99	9×10+9	jiǔshí 九十
8	bā 八	18	10+8	shíbā 十八	80	8×10	bāshí 八十	100		yìbǎi 一百
9	jiǔ 九	19	10+9	shíjiǔ 十九	90	9×10	jiǔshí 九十	200		èrbǎi 二百
10	shí 十							0		líng 零

Table 6. Expressions for years

Chinese		English
前 qián		the year before last year
去 qù		last year
今 jīn	nián + 年	this year
明 míng		next year
后 hòu		the year after next year

Table 7. Expressions for dates

Chinese		English
前 qián		the day before yesterday
昨 zuó		yesterday
今 jīn	tiān + 天	today
明 míng		tomorrow
后 hòu		the day after tomorrow

Table 8. Expressions for months

Chinese		English
上上 shàng shàng		*two months ago*
上 shàng		*last month*
这 zhè	（gè）yuè +（个）月	*this month*
下 xià		*next month*
下下 xià xià		*the month after next month*

Table 9. Expressions for weeks

Chinese		English
上上 shàng shàng		*the week before last week*
上 shàng		*last week*
这 zhè	（gè）xīngqī +（个）星期	*this week*
下 xià		*next week*
下下 xià xià		*the week after next week*

Exercises

1. Match the English with the Chinese.

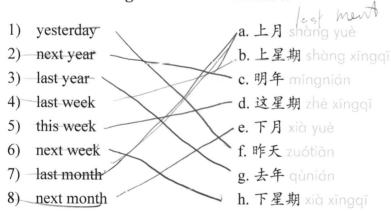

1) yesterday   a. 上月 *last ment* shàng yuè
2) next year   b. 上星期 shàng xīngqī
3) last year   c. 明年 míngnián
4) last week   d. 这星期 zhè xīngqī
5) this week   e. 下月 xià yuè
6) next week   f. 昨天 zuótiān
7) last month   g. 去年 qùnián
8) next month   h. 下星期 xià xīngqī

2. Ask questions about the underlined parts in the following sentences.

Jīntiān xīngqīsì.
1) 今天 星期四。   Today is Thursday

2) *Zuótiān shì yī yuè èrshíbā hào.*
 昨 天 是 一月 二十八号。 Yesterday Jan 28th

3) *Jīnnián Chūn Jié shì yī yuè èrshíjiǔ hào xīngqītiān.*
 今 年 春 节 是 一月 二十九号 星期天。 This year Chun NY 1 29 Sunday

4) *Tā de shēngrì shì jiǔ yuè liù hào.*
 他 的 生 日是 九月 六 号。 Your birthday is september 6th

5) *Míngtiān shì sì yuè bā hào xīngqīwǔ.*
 明 天 是 四月 八号 星期五。

3. Translate the following sentences into English.

1) *Shèngdàn Jié shì shí'èr yuè èrshíwǔ rì.*
 圣 诞节是 十二 月 二十五 日。 Christmas is 12/25

2) *Zhè xīngqīliù shì sān yuè èrshíqī hào.*
 这 星期六 是 三 月 二十七号。 This Saturday is March 27th

3) *Ānnà de shēngrì shì shíyī yuè qī hào.*
 安娜 的 生 日是 十一月 七号。 Anna's birthday is November 7th

4) *Shàng xīngqīliù shì wǒ de shēngrì.*
 上 星期六 是 我的 生 日。 Last Sat. was my birthday

5) *Xià xīngqīsì shì Jiékè de shēngrì.*
 下 星期四 是 杰克的 生 日。 Next Thursday is Jake's birthday

4. Translate the following sentences into Chinese.

1) Today is 11 October. Jīntiān shì shíyī shíyuè

2) Yesterday was my birthday. Zuótiān shì wo de shengri

3) Bobby's birthday is the 23 April. Babē de shengri shì sìyue

4) What date is Christmas? Shèngdàn shi jǐyue jǐhuo

5) When is your birthday? Ni de shengri shì shanme shihou

5. Listening Comprehension 🎧

Choose the correct answer according to the short dialogues.

1)	a. 3rd	b. 4th	c. 10th
2)	a. Sunday	b. Wednesday	c. Friday
3)	a. July	b. September	c. January
4)	a. 12 May	b. 5 February	c. 2 May
5)	a. yesterday	b. today	c. tomorrow

6. Classroom Activities

Work in pairs: Ask each other's birthdays. Introduce your own country's important festivals dates.

7. Learning Chinese Characters

年									
月									
日									
期									

crshisan hao

Lesson 5 Time

Shíjiān
时间

 **Key sentences**

1.	现在几点？	Xiànzài jǐ diǎn?
2.	你每天早上几点起床？	Nǐ měi tiān zǎoshang jǐ diǎn qǐchuáng?
3.	我们明天十二点吃午饭，行吗？	Wǒmen míngtiān shí'èr diǎn chī wǔfàn, xíng ma?
4.	商店几点开门？	Shāngdiàn jǐ diǎn kāi mén?
5.	谢谢。/不客气。	Xièxie./Bú kèqi.

New words

1.	点	diǎn	n/v	*o'clock*
2.	两	liǎng	num	*two*
3.	分	fēn	n	*minute*
4.	谢谢	xièxie	v/n	*thanks*
5.	不客气	bú kèqi	i.e	*you're welcome*
6.	每天	měi tiān	adv	*every day*
7.	每	měi	pron	*every*
8.	早上	zǎoshang	n	*early morning*
9.	起床	qǐchuáng	v	*get up*

10. 半	bàn	num	half
11. 吃	chī	v	eat
12. 早饭	zǎofàn	n	breakfast
13. 饭	fàn	n	meal
14. 差	chà	v	be short of, less
15. 一刻	yí kè	num	a quarter (time)
16. 午饭	wǔfàn	n	lunch
17. 行	xíng	adj	all right, OK
18. 中午	zhōngwǔ	n	noon
19. 下午	xiàwǔ	n	afternoon
20. 商店	shāngdiàn	n	shop
21. 开	kāi	v	open, start, operate (a car, machine)
22. 门	mén	n	door
23. 关	guān	v	close, turn off
24. 上午	shàngwǔ	n	morning
25. 晚上	wǎnshang	n	evening

 **Dialogues**

(1)

(Asking about time)

A: Qǐngwèn, xiànzài jǐ diǎn?
请 问， 现在几点？
Excuse me, what time is it?

B: Liǎng diǎn shí fēn.
两 点 十 分。
It is ten minutes past two.

A: Xièxie.
谢谢。
Thank you.

B: Bú kèqi.
不 客 气。
You are welcome.

(2)

(Talking about a daily routine)

A: Nǐ měi tiān zǎoshang jǐ diǎn
你 每 天 早 上 几 点
qǐchuáng? *get up*
起 床 ?

What time do you get up every morning?

B: Qī diǎn bàn.
七 点 半。

7:30.

A: Jǐ diǎn chī zǎofàn?
几 点 吃 早 饭?

What time do you have breakfast?

B: Chà yí kè bā diǎn.
差 一 刻 八 点。

7:45.

(3)

(Asking a friend to have lunch)

A: Wǒmen míngtiān shí'èr diǎn
我 们 明 天 十 二 点
chī wǔfàn, xíng ma?
吃 午 饭, 行 吗?

Shall we have lunch at 12:00 tomorrow?

B: Bù xíng. Míngtiān zhōngwǔ wǒ
不 行。明 天 中 午 我
hěn máng. *busy*
很 忙。 *how about?*

That's no good. I'll be busy at noon tomorrow.

A: Xiàwǔ liǎng diǎn zěnmeyàng?
下 午 两 点 怎 么 样?

How about 2:00 pm?

B: Xíng, xièxie. *see you*
行, 谢 谢。

OK. Thanks!

A: Míngtiān jiàn !
明 天 见!

See you tomorrow!

B: Míngtiān jiàn !
明 天 见!

See you tomorrow!

(4)

(Talking about store business hours)

A: Shāngdiàn jǐ diǎn kāi mén?
商 店 几点 开 门？

What time does the shop open?

B: Shàngwǔ jiǔ diǎn.
上 午九点。

9:00 am.

A: Jǐ diǎn guān mén?
几点 关 门？

What time does it close?

B: Wǎnshang qī diǎn.
晚 上 七点。

7:00 pm.

A: Xīngqītiān ne?
星 期天呢？

How about on Sundays?

B: Xīngqītiān shàngwǔ shíyī diǎn
星 期天 上 午十一点

It opens at 11:00 am, and closes at 5:00 pm.

kāi mén, xiàwǔ wǔ diǎn guān mén.
开 门，下 午五 点 关 门。

1. Telling the time

The following basic units of time are used to express time.

Table 10. Expressions for time

Basic units	Examples		
diǎn 点	1:00	2:00	3:00
	yì diǎn 一 点	liǎng diǎn 两 点	sān diǎn 三 点
fēn 分	2:10	3:05	4:20
	liǎng diǎn shí fēn 两 点 十 分	sān diǎn wǔ fēn 三 点 五 分	sì diǎn èrshí fēn 四 点 二 十 分
bàn 半	2:30	10:30	8:30
	liǎng diǎn bàn 两 点 半	shí diǎn bàn 十 点 半	bā diǎn bàn 八 点 半
yí kè 一刻	2:15	3:15	9:15
	liǎng diǎn yí kè 两 点 一 刻	sān diǎn yí kè 三 点 一 刻	jiǔ diǎn yí kè 九 点 一 刻
chà 差	1:50	9:55	8:50
	chà shí fēn liǎng diǎn 差 十 分 两 点 liǎng diǎn chà shí fēn 两 点 差 十 分	chà wǔ fēn shí diǎn 差 五 分 十 点 shí diǎn chà wǔ fēn 十 点 差 五 分	chà shí fēn jiǔ diǎn 差 十 分 九 点 jiǔ diǎn chà shí fēn 九 点 差 十 分
sān kè 三刻	2:45	7:45	10:45
	liǎng diǎn sān kè 两 点 三 刻	qī diǎn sān kè 七 点 三 刻	shí diǎn sān kè 十 点 三 刻

In China many public places use the 24-hour clock. For example:

shíjiǔ diǎn sānshí fēn
1) 十九 点 三 十 分   *19:30*

èrshí'èr diǎn wǔshíwǔ fēn
2) 二十二 点 五十五 分   *22:55*

Table 11. The periods of a day

Chinese	Time period	English
早上 zǎoshang	*Before 08:00*	*early morning*
上午 shàngwǔ	*08:00-12:00*	*morning*
中午 zhōngwǔ	*12:00-13:00*	*noon*

下午 xiàwǔ	13:00-18:00	afternoon
晚上 wǎnshang	After 18:00	evening

2. The order of time words

When using the 12-hour time format to express the time, one should add 早上 zǎoshang, 上午 shàngwǔ, 中午 zhōngwǔ, 下午 xiàwǔ, 晚上 wǎnshang before the time words. For example:

1) 早　上　七　点　半　　　　　　　*7:30 am*
zǎoshang qī diǎn bàn

2) 晚　　上　　八　点　　　　　　　*8:00 pm*
wǎnshang bā diǎn

3. Use 刻 kè to express time

Although 刻 kè as a measure word means 'a quarter', it cannot be used alone to express time. It must be added after the numeral. For example:

1) 上　午　十　点　一　刻　　　　　*10:15 am*
shàngwǔ shí diǎn yí kè

2) 晚上　八　点　三　刻　　　　　　*8:45 pm*
wǎnshang bā diǎn sān kè

 Exercises

1. Tell the time in Chinese.

1)	6:00	8:20	13:55 (1:55 pm)	3:30
2)	12:35	11:10	14:20 (2:20 pm)	9:45
3)	5:15	10:05	17:30 (5:30 pm)	4:45
4)	18:08	15:55	19:45 (7:45 pm)	2:30
5)	4:05	12:10	21:15 (9:15 pm)	2:35

2. Say the time in Chinese.

3. Translate the following words into Chinese.

1) every day   2) every week   3) every month

4) every year   5) everybody   6) every evening

7) every Monday   8) every morning

4. Organise the following dates using correct word order.

1)   a. 十七号 /   b. 六月 /   c. 二零一八年 /   d. 上午 /

    e. 星期日

2)   a. 星期四 /   b. 八月 /   c. 三十一号 /   d. 一九五九年 /

    e. 下午

3)   a. 十二月 /   b. 四号 /   c. 星期六 /   d. 一九七六年 /

    e. 晚上

4)   a. 二零一二年 /   b. 星期二 /   c. 二月 /   d. 十二号 /

    e. 下午

5)   a. 早上 /   b. 星期三   c. 三十号 /   d. 八点 /   e. 三月

5. Translate the following sentences into English.

1) 我每天早上七点一刻起床。

2) 我每天早上差一刻八点吃早饭。

3) 我中午十二点半吃午饭。

4) 我晚上六点三刻吃晚饭。

5) 我每星期六去商店。

6. Listening Comprehension

Circle the correct answer according to the short dialogues.

1) a. 10:10   b. 4:10   c. 10:04
2) a. 6:15   b. 7:15   c. 8:15
3) a. 8:10   b. 10:08   c. 7:50
4) a. 6:30   b. 7:30   c. 8:30
5) a. 8:00   b. 9:00   c. 10:00

7. Classroom Activities

Talk about your daily routine and ask your classmates about their timetable.

8. Learning Chinese Characters

早									
晚									
上									
下									

Review & Test

Fùxí yǔ cèyàn
复习与测验

Part 1 Review for Lessons 1-5

 **Key patterns**

1. Statement sentences

Patterns	Examples
Subject + Adjective	Nǐ hǎo ! 你好!
Subject + Adverb +Adjective	Wǒ hěn máng. 我 很 忙。
Subject + Verb + Object	Wǒ shuō Yīngyǔ. 我 说 英语。
Verb + 一下 yíxià	Wǒ lái jièshào yíxià. 我 来 介绍 一下。

2. Question forms

Patterns	Examples
Statement + 吗 ma?	Nǐ shì Yīngguórén ma? 你 是 英 国 人 吗?
Statement, Pronoun + 呢 ne?	Wǒ shì Yīngguórén, nǐ ne? 我 是 英 国 人,你 呢?
Verb/Adjective + 不 bù + Verb/Adjective?	Nǐ máng bù máng? 你 忙 不 忙?

Subject + 怎么样 zěnmeyàng ?	Nǐ zěnmeyàng? 你 怎 么 样?

3. Questions with a question word

Questions	Answers
Nǐ xìng shénme? 你 姓 什 么?	Wǒ xìng Fāng. 我 姓 方。
Tā shì shuí? 他 是 谁?	Tā shì wǒ de péngyou. 他 是 我 的 朋 友。
Nǐ shì nǎ guó rén? 你 是 哪 国 人?	Wǒ shì Zhōngguórén. 我 是 中 国 人。
Tā shì nǎli rén? 他 是 哪 里 人?	Tā shì Běijīngrén. 他 是 北 京 人。
Nǐ láizì shénme dìfang? 你 来 自 什 么 地 方?	Wǒ láizì Shànghǎi. 我 来 自 上 海。
Jīntiān jǐ hào? 今 天 几 号?	Jīntiān sān hào. 今 天 三 号。
Míngtiān xīngqī jǐ? 明 天 星 期 几?	Míngtiān xīngqīliù. 明 天 星 期 六。
Nǐ de shēngrì shì nǎ tiān? 你 的 生 日 是 哪 天?	Wǒ de shēngrì shì wǔ yuè bā hào. 我 的 生 日 是 五 月 八 号。
Xiànzài jǐ diǎn? 现 在 几 点?	Xiànzài shíyī diǎn. 现 在 十 一 点。
Shāngdiàn jǐ diǎn kāi mén? 商 店 几 点 开 门?	Shāngdiàn jiǔ diǎn kāi mén. 商 店 九 点 开 门。

Part 2 Test Lessons 1-5

1. Reading Comprehension

Text

Fāng Lán shì wǒmen de Hànyǔ lǎoshī, tā shì Zhōngguórén, láizì
方　兰　是　我　们　的　汉　语　老　师，她　是　中　国　人，来　自
Běijīng. Tā shuō Hànyǔ, yě shuō Yīngyǔ. Tā de shēngrì shì sì yuè wǔ hào.
北　京。她　说　汉　语，也　说　英　语。她　的　生　日　是　四　月　五　号。

Fāng lǎoshī hěn máng, tā měi tiān zǎoshang qī diǎn bàn qǐchuáng,
方　老　师　很　忙，她　每　天　早　上　七　点　半　起　床，
chà yí kè bā diǎn chī zǎofàn, bā diǎn yí kè qù shàngbān. Tā zhōngwǔ
差　一　刻　八　点　吃　早　饭，八　点　一　刻　去　上　班。她　中　午
yì diǎn chī wǔfàn, wǎnshang liù diǎn huíjiā. Tā měi tiān chà shí fēn
一　点　吃　午　饭，晚　上　六　点　回　家。她　每　天　差　十　分
qī diǎn chī wǎnfàn.
七　点　吃　晚　饭。

Xīngqīliù hé xīngqītiān Fāng lǎoshī bú shàngbān, tā xīngqīliù xiàwǔ
星　期　六　和　星　期　天　方　老　师　不　上　班，她　星　期　六　下　午
qù shāngdiàn.
去　商　店　。

(zìshù: yìbǎi sānshí'èr)
（字　数　：１３２）

(1) Read the short passage above. Decide if each of the following statements is True/
False/Not mentioned by circling the correct option.

1) Fang Lan comes from Nanjing.

　　a. True　　　　b. False　　　　　c. Not mentioned

2) Fang Lan speaks English and Chinese.

　　a. True　　　　b. False　　　　　c. Not mentioned

3) Fang Lan is not very busy.

　　a. True　　　　b. False　　　　　c. Not mentioned

4) Fang Lan likes the shop very much.

　　a. True　　　　b. False　　　　　c. Not mentioned

5) Fang Lan doesn't go to work on weekends.

　　a. True　　　　b. False　　　　　c. Not mentioned

(2) Read the short passage above again, and circle the correct answer to each
question according to the information in the passage.

1) When is Fang Lan's birthday?

    a. 4 May   b. 5 April   c. 5 April

2) What time does Fang Lan have breakfast every day?

    a. 7:45   b. 8:15   c. 8:45

3) What time does Fang Lan go to work every day?

    a. 7:45   b. 8:15   c. 8:45

4) What time does Fang Lan have dinner every day?

    a. 19:10   b. 10:07   c. 18:50

5) When does Fang Lan go to the shop?

    a. Saturday morning

    b. Sunday afternoon

    c. Saturday afternoon

2. Using Language

(1) Fill in the blanks with the words given; each word can only be used once.

a. 什么 shénme	b. 吗 ma	c. 哪 nǎ	d. 几 jǐ	e. 呢 ne

Nǐ shuō Yīngyǔ _____ ?

1) 你 说 英 语 _____ ?

Wǒ xìng Wáng, nǐ _____ ?

2) 我 姓 王, 你 _____ ?

Xiànzài _____ diǎn?

3) 现 在 _____ 点?

Nǐ de shēngrì shì _____ tiān?

4) 你 的 生 日 是 _____ 天?

Nǐmen de Fǎyǔ lǎoshī jiào _____ ?

5) 你 们 的 法语 老师 叫 _____ ?

(2) Circle the correct sentence according to the English meaning.

1) May I know your surname?

    Nín jiào shénme?   Nín guìxìng?   Nǐ xìng shénme?

    a. 您 叫 什 么?   b. 您 贵 姓?   c. 你 姓 什 么?

2) Who is he?

    Tā xìng shénme?   Shuí shì tā?   Tā shì shuí?

    a. 他 姓 什 么?   b. 谁 是 他?   c. 他 是 谁?

3) What day was it yesterday?

    Jīntiān xīngqī jǐ?   Zuótiān xīngqī jǐ?   Zuótiān jǐ hào?

    a. 今天 星期 几?   b. 昨天 星期 几?   c. 昨天 几 号?

4) What is today's date?

Jīntiān xīngqī jǐ?
a. 今天 星期 几？

Míngtiān jǐ hào?
b. 明天 几号？

Jīntiān jǐ hào?
c. 今天 几号？

5) All our Mandarin teachers are Chinese.

Wǒmen de lǎoshī shì Zhōngguórén.
a. 我们 的老师是 中 国人。

Wǒmen de lǎoshī dōu shì Zhōngguórén.
b. 我们 的老师都是 中 国人。

Wǒmen de Hànyǔ lǎoshī dōu shì Zhōngguórén.
c. 我们 的汉语老师 都是 中 国人。

(3) Make sentences by re-arranging the order of the words given.

nǐ / qǐchuáng / jǐ diǎn / zǎoshang / měi tiān / ?
1) a. 你 / b. 起床 / c. 几点 / d. 早上 / e. 每天 / ?

you everyday in the morning wheth thime get up?

shénme / shì / dìfang / Fāng Lán / rén / ?
2) a. 什么 / b. 是 / c. 地方 / d. 方 兰 / e. 人 / ?

Fāng Lán shì shenme dìfang rén?

shì / lǎoshī / Hànyǔ / Gāo Péng / bù / .
3) a. 是 / b. 老师 / c. 汉语 / d. 高 朋 / e. 不 / 。

Gāo Péng no is Chinese teacher.

xīngqītiān / měi / shāngdiàn / wǒmen / qù / .
4) a. 星期天 / b. 每 / c. 商店 / d. 我们 / e. 去 / 。

We every Sunday go shopping

tā / shì / shēngrì / de / shí yuè / shíwǔ rì / .
5) a. 她 / b. 是 / c. 生日 / d. 的 / e. 10月 / f. 15 日 / 。

Her (possestve) birthday is 10 month 15 day
(Oct 15th)

Lesson 7 Schedules & Invitations

Rìchéng yǔ yāoqǐng

日 程 与 邀 请

 **Key sentences**

1. 从周一到周五我每天上班。 Cóng zhōuyī dào zhōuwǔ wǒ měi tiān shàngbān.

2. 周末你有时间吗？ Zhōumò nǐ yǒu shíjiān ma?

3. 我们一起去看电影吧？ Wǒmen yìqǐ qù kàn diànyǐng ba?

4. 下周五晚上你有空吗？ Xià zhōuwǔ wǎnshang nǐ yǒu kòng ma?

5. 太好了！ / 好极了！ Tài hǎo le !/Hǎo jíle !

 New words

1.	从	cóng	prep	*from*
2.	周	zhōu	n	*week*
3.	到	dào	prep	*to, up to*
4.	上班	shàngbān	v	*go to work*
5.	周末	zhōumò	n	*weekend*
6.	末	mò	n	*end*
7.	上	shàng	n	*last, most recent, former*
8.	看	kàn	v	*look at, see, watch, read, visit*

9.	有	yǒu	v	*have*
10.	时间	shíjiān	n	*time*
11.	一起	yìqǐ	adv	*together*
12.	去	qù	v	*go*
13.	电影	diànyǐng	n	*film, movie*
14.	吧	ba	pt	*an interrogative or suggestive particle*
15.	太……了	tài ... le	i.e	*extremely..., too...*
16.	什么时间	shénme shíjiān	q.w	*what time, when*
17.	请	qǐng	v	*invite, to treat (to a meal etc.)*
18.	生日会	shēngrìhuì	n	*birthday party*
19.	会	huì	n	*party, gathering, meeting*
20.	什么时候	shénme shíhou	q.w	*when*
21.	下	xià	n	*next (in time or order)*
22.	空	kòng	adj/n	*free (or spare) time*
23.	烤鸭	kǎoyā	n	*roast duck*
24.	……极了	... jíle	adv	*extremely*

Dialogues

(1)

(Talking about one's own schedule)

Cóng zhōuyī dào zhōuwǔ wǒ
从　周一　到　周　五　我

měi tiān shàngbān.
每 天　上　班。

I go to work every day from Monday to Friday.

Zhōumò wǒ bú shàngbān.
周　末　我　不　上　班。

I don't go to work at the weekend.

Shàng xīngqīliù wǒ qù kàn péngyou.
上 星 期六我 去 看 朋 友。

I went to visit my friends last Saturday.

Zhè xīngqīliù wǒ qù shāngdiàn.
这 星 期 六 我 去 商 店。

I will go to the shop this Saturday.

(2)

(Inviting a friend to see a film)

A: Zhōumò nǐ yǒu shíjiān ma?
周 末 你 有 时间 吗?

Will you be free this weekend?

B: Yǒu.
有。

Yes.

A: Wǒmen yìqǐ qù kàn diànyǐng ba?
我 们 一起去看 电 影 吧?

Shall we go to see a film together?

B: Tài hǎo le ! Shénme shíjiān?
太 好 了! 什 么 时 间?

Great idea! What time?

A: Xīngqītiān xiàwǔ sān diǎn.
星 期 天 下 午 三 点。

3:00 pm on Sunday afternoon.

(3)

(Planning to go to a birthday party)

A: Xiǎoyù qǐng wǒmen qù tā de
小 玉 请 我 们 去 她 的

shēngrìhuì, nǐ qù ma?
生 日会,你 去 吗?

Xiaoyu has invited us to her birthday party, will you go?

B: Shénme shíhou?
什 么 时 候?

When is it?

A: Xià yuè sān hào.
下 月 三 号。

The 3rd of next month.

B: Xià yuè sān hào shì xīngqī jǐ?
下 月 三 号 是 星 期 几?

What day is the 3rd of next month?

A: Xīngqīliù.
星期六。

Saturday.

B: Wǒ qù. Xīngqīliù wǒ bú
我 去。星期六 我 不

shàngbān.
上 班。

I will go. I don't work on Saturdays.

(4)

(Inviting a friend to have dinner)

A: Xià zhōuwǔ wǎnshang nǐ yǒu
下 周五 晚上 你 有

kòng ma?
空 吗?

Are you free next Friday evening?

B: Yǒu.
有。

Yes.

A: Wǒ qǐng nǐ chī Zhōngguó fàn,
我 请 你 吃 中 国 饭,

hǎo ma?
好 吗?

Can I invite you to have a Chinese meal?

B: Hǎo a, chī shénme?
好 啊,吃 什 么?

OK, what shall we eat?

A: Běijīng kǎoyā.
北 京 烤鸭。

Beijing roast duck.

B: Hǎo jíle !
好 极了!

Fantastic!

Language Points

1. Particle 吧 ba

Putting 吧 ba at the end of a sentence makes the sentence a kind of suggestion. It makes whatever you say more friendly and causal by turning a statement into a rhetorical question. For example:

Wǒmen qù kàn diànyǐng ba?
我们 去看 电 影 吧？　　　*Shall we go to the cinema?*

2. 太 tài …… 了 le

This is a fixed phrase meaning 'extremely' or 'very much' in a positive sentence. Usually an adjective appears between the 太 tài and 了 le. For example:

Tài hǎo le !
1）太 好 了！　　　*Excellent! /Great!*

Tài guì le !
2）太 贵 了！　　　*Too expensive!*

3. …… 极了 jíle

This is a fixed phrase that means 'extremely'. It's similar to the 太 tài …… 了 le. Usually an adjective goes before 极了 jíle. For example:

Hǎo jíle !
1）好 极了！　　　*Extremely good! /Excellent! /Great!*

Guì jíle !
2）贵 极了！　　　*Extremely expensive! /Too expensive!*

4. Expressing the question word 'when'

There are three ways to indicate the English word 'when'. They are 什么时候 shénme shíhou，什么时间 shénme shíjiān，几点 jǐ diǎn, although they all have the meaning of 'when', they are each slightly different. See the table below.

Table 12. Expressions for the question word 'when'

Chinese	English	Answer can be
shénme shíhou 什么时候	*when?*	*anytime of the year, month, date or time*

shénme shíjiān 什么时间	*what's time/when?*	*specific time, more certain*
jǐ diǎn 几点	*what's the time/when?*	*specific time only*

The sentence pattern is: S + 什么时候 shénme shíhou / 什么时间 shénme shíjiān / 几点 jǐ diǎn + V + O

For example:

1) A : 你 什么 时候 去 中 国?
   Nǐ shénme shíhou qù Zhōngguó?
   When are you going to China?

   B : 明 年 八 月。
   Míngnián bā yuè.
   August next year.

2) A : 你 什 么 时 间 吃 晚 饭?
   Nǐ shénme shíjiān chī wǎnfàn?
   What time / (When) do you eat dinner?

   B : 晚 上 六 点。
   Wǎnshang liù diǎn.
   6:00 in the evening.

3) A : 你 每 天 几 点 起 床?
   Nǐ měi tiān jǐ diǎn qǐchuáng?
   What time do you get up every day?

   B : 早 上 七 点。
   Zǎoshang qī diǎn.
   7:00 in the morning.

Please note: 时候 shíhou cannot be used individually as a word. It must be combined with other words, such as 什么时候 shénme shíhou (when); ……的时候 de shíhou (while...); 有时候 yǒushíhou (sometimes).

Exercises

1. Match the following phrases if they are synonymous.

1) 什么时候 shénme shíhou   a. 有空 yǒu kòng   *have time?*
2) 有时间 yǒu shíjiān   b. 好极了 hǎo jíle   *very good*
3) 没空 méi kòng   c. 星期 xīngqī
4) 太好了 tài hǎo le   d. 什么时间 shénme shíjiān
5) 周 zhōu   e. 没时间 méi shíjiān

2. Fill in the blanks with the words given; each word can only be used once.

have   *eat*   *watch/read*   *to/go*   *treat/invite*

a. 有 yǒu	b. 吃 chī	c. 看 kàn	d. 去 qù	e. 请 qǐng

I invite you can to my bdny tcty ⌣

Wǒ ~~qing~~ nǐ lái wǒ de shēngrìhuì.

1) 我 _____ 你 来 我 的 生 日 会。

Wǒmen shénme shíhou qù _____ diànyǐng?

2) 我们 什么 时候 去 _____ 电影?

Tā měi tiān zǎoshang jiǔ diǎn _____ shàngbān.

3) 他 每 天 早 上 九 点 _____ 上 班。

Zhōumò wǒ hěn máng, méi _____ shíjiān.

4) 周 末 我 很 忙, 没 _____ 时间。

Míngtiān hé péngyou yìqǐ qù _____ Fǎguó fàn.

5) 明 天 和 朋 友 一起 去 _____ 法 国 饭。

3. Translate the following sentences into English.

Cóng xīngqīyī dào xīngqīwǔ nǐ měi tiān zuò shénme?

1) 从 星期一 到 星期五 你 每 天 做 什么?

Zhōumò nǐ qù nǎr? Nǐ xǐhuan zuò shénme?

2) 周 末 你 去哪儿?你 喜欢 做 什 么?

Ānnà shénme shíhou qù Shànghǎi?

3) 安娜 什 么 时候 去 上 海?

Nǐ shénme shíhou yǒu kòng?

4) 你 什 么 时 候 有 空?

Zhōumò nǐ yǒu shíjiān ma?

5) 周 末 你 有 时间 吗?

4. Translate the following sentences into Chinese.

1) I'm so busy this week. I have no time at all.

2) I am free on Wednesday.

3) Today is your birthday. This is my treat.

4) Will you come to my house at 7 o'clock tomorrow evening?

5) Mr Li invited us to have a Chinese meal next Sunday.

5. Listening Comprehension 🎧

Mark true (T) or false (F) according to the short dialogues.

1) She will be free this weekend.   (   )

2) She loves going for Chinese meals.   (   )

3) He is very busy at the moment.   (   )

4) They will have roast duck on Sunday.   (   )

5) The American movie is great.   (   )

6. Classroom Activities

Role play: You would like to invite your Chinese friend to dinner and to watch a Chinese film which is only on from this Friday until Sunday. He/she is very busy. Try to arrange the evening together.

7. Learning Chinese Characters

什									
么									
时									
间									

Lesson 8　Contact Information

Liánxì.fāngshì yǔ dìzhǐ

联系方式与地址

 Key sentences

1. 你们公司在哪儿？　　　Nǐmen gōngsī zài nǎr?
2. 你办公室的电话号码是多少？　Nǐ bàngōngshì de diànhuà hàomǎ shì duōshao?
3. 你住哪儿？　　　　　　Nǐ zhù nǎr?
4. 你的手机号码是多少？　Nǐ de shǒujī hàomǎ shì duōshao?
5. 您的房间号码是多少？　Nín de fángjiān hàomǎ shì duōshao?

 **New words**

1. 在　　zài　　　　　　v/prep　be at, in, be located
2. 哪儿　nǎr /nǎli　　　q.w　　where
3. 路　　lù　　　　　　n　　　road
4. 办公室　bàngōngshì　　n　　　office
5. 电话　diànhuà　　　　n　　　telephone
6. 号码　hàomǎ　　　　　n　　　number
7. 多少　duōshao　　　　q.w　　how many, how much
8. 住　　zhù　　　　　　v　　　live, stay
9. 公寓　gōngyù　　　　　n　　　apartment

10.	街	jiē	n	*street*
11.	手机	shǒujī	n	*mobile phone*
12.	楼	lóu	n	*building, floor*
13.	房间	fángjiān	n	*room*
14.	电子邮件	diànzǐ yóujiàn	n	*email*
15.	电子	diànzǐ	n	*electronic*
16.	邮件	yóujiàn	n	*mail*
17.	地址	dìzhǐ	n	*address*
18.	是的	shì de	i.e	*yes, that's right*
19.	用	yòng	v	*use*
20.	微信	wēixìn	n	*WeChat*
21.	朝阳路	Cháoyáng Lù	p.n	*street name*
22.	东环公寓	Dōnghuán Gōngyù	p.n	*name of an apartment*
23.	新东街	Xīndōng Jiē	p.n	*street name*

Dialogues

(1)

(Finding out and providing a phone number and address)

A: Nǐmen gōngsī zài nǎr?
你们 公司 在 哪儿?

Where is your company?

B: Zài Cháoyáng Lù shíwǔ hào.
在 朝 阳 路 十 五 号。

It is at No.15 Chaoyang Road.

A: Nǐ bàngōngshì de diànhuà
你办公室的 电 话
hàomǎ shì duōshao?
号 码是 多 少?

What is your office telephone number?

B: Liù sì qī sān yāo bā yāo bā.
六 四 七 三 一 八 一 八。

64731818.

(2)

(Finding out and providing a phone number and address)

A: Nǐ zhù nǎr?
你 住 哪儿?

Where do you live?

B: Wǒ zhù Dōnghuán Gōngyù.
我 住 东 环 公 寓。

I live in the Donghuan Apartment.

A: Dōnghuán Gōngyù zài nǎr?
东 环 公 寓 在 哪儿?

Where are the Donghuan Apartment?

B: Zài Xīndōng Jiē wǔ Hào.
在 新 东 街 五 号。

They are at No.5 Xindong Street.

A: Nǐ de shǒujī hàomǎ shì duōshao?
你 的 手 机 号 码 是 多 少?

What is your mobile phone number?

B: Yāo sān bā yāo líng wǔ yāo qī liù sì èr.
一 三 八 一 零 五 一 七 六 四 二。

13810517642.

(3)

(Finding out and providing an address)

A: Qǐngwèn nín de dìzhǐ?
请 问 您 的 地址?

Excuse me, what is your address?

B: Dōnghuán Gōngyù shíyī Hào Lóu.
东 环 公 寓 十一 号 楼。

Donghuan Apartment, Building No.11.

A: Nín de fángjiān hàomǎ shì
您 的 房 间 号 码 是

duōshao?
多 少?

What is your room number?

B: Yāo yāo líng èr.
一 一 零 二。

1102.

(4)

(Discussing how to contact one another)

A: Zhè shì nǐ de diànzǐ yóujiàn
这 是 你 的 电 子 邮 件

dìzhǐ ma?
地址 吗？

Is this your email address?

B: Shì de.
是 的。

Yes.

A: Nǐ yòng bú yòng wēixìn?
你 用 不 用 微信？

Do you use WeChat?

B: Yòng, zhè shì wǒ de wēixìnhào.
用， 这 是 我 的 微信号。

Yes, this is my WeChat ID.

A: Xièxie.
谢谢。

Thanks.

Language Points

1. 在 zài can be a verb or a preposition. Here, it is used as a verb, meaning 'to be located/to be at, in, on (a place)'. The pattern is: Subject + 在 zài + Place

For example:

1) Nǐmen gōngsī zài nǎr?
你 们 公 司 在 哪 儿？

Where is your company?

2) Tā bú zài bàngōngshì.
他 不 在 办 公 室。

He is not in the office.

2. Asking for telephone numbers

多少 duōshao is used when asking for someone's telephone number, not 什么 shénme. For example:

1) Nǐ de diànhuà hàomǎ shì duōshao?
   你 的 电 话 号 码 是 多 少 ?   *What is your telephone number?*

2) Nǐ de shǒujī hàomǎ shì duōshao?
   你 的 手 机 号 码 是 多 少 ?   *What is your mobile phone number?*

3. Pronunciation of the number '1'

'1' can be pronounced in two ways, 'yī' and 'yāo'. 'yāo' is used when '1' occurs in telephone numbers, room numbers, bus and train numbers, etc. once the number is more than two digits, particularly in North China. For example:

1) Telephone number 119 can be said as yāo yāo jiǔ.

2) Room number 1018 can be said as yāo líng yāo bā.

4. Word order for a Chinese address

Country, city, area, street/road, name of the apartment, number of the apartment, room number. The last part of an address is a person's name and title. For example:

中国 Zhōngguó   *China*

北京市 Běijīng Shì   *Beijing*

东城区 Dōngchéng Qū   *Dongcheng District*

中兴路二号 Zhōngxīng Lù èr Hào   *Zhongxing Road 2*

东环公寓十一号楼 Dōnghuán Gōngyù shíyī Hào Lóu

                                           Donghuan Apart., Building 11, 东 Rm 1102

一一零二房间 yāo yāo líng èr fángjiān

高朋先生 Gāo Péng xiānsheng   *Mr Gao Peng*

 Exercises

1. Match the English with the Chinese.

1) office   a. 微信 wēixìn

2) room   b. 脸书 liǎnshū

3) company   c. 路 lù

4) telephone   d. 公司 gōngsī

5) mobile phone
6) WeChat
7) Facebook
8) email
9) street
10) road

e. 街 jiē
f. 办公室 bàngōngshì
g. 房间 fángjiān
h. 电话 diànhuà
i. 邮件 yóujiàn
j. 手机 shǒujǐ

2. Fill in the blanks with the words given; each word can only be used once.

a. 多少 duōshao   b. 几 jǐ   c. 什么 shénme   d. 什么地方 shénme dìfang
e. 不用 bú yòng

Nǐ yòng _____ wēixìn?
1) 你用 _____ 微信？

Fāng Lán de diànhuà hàomǎ shì _____?
2) 方 兰 的 电 话 号 码 是 _____？

Nǐ de diànzǐ yóujiàn dìzhǐ shì _____?
3) 你的电子邮件地址是 _____？

Nǐ zhù zài Shànghǎi _____?
4) 你住在上海 _____？

Nǐ xià xīngqī _____ lái wǒmen gōngsī?
5) 你下星期 _____ 来我们公司？

3. Translate the following sentences into English.

Xiànzài nǐ qù nǎr?
1) 现在你去哪儿？

Nǐ de wēixìn dìzhǐ shì shénme?
2) 你的微信地址是什么？

Gāo Péng de gōngsī zài shénme dìfang?
3) 高 朋 的 公司在什么地方？

Zhè shì bú shì nǐ de diànzǐ yóujiàn dìzhǐ?
4) 这是不是你的电子邮件地址？

Wǒ de péngyou zhù zài Shànghǎi.
5) 我的朋友住在上海。

Fāng Lán bú zài bàngōngshì.
6) 方 兰 不在办公室。

Wǒ de shǒujǐ hào shì yāo sān bā qī liù liù yāo qī èr sì wǔ.
7) 我的手机号是一三 八七六六一七二四五。

Wǒ bàngōngshì de diànhuà shì wǔ sān jiǔ yāo jiǔ líng liù yāo.
8) 我 办 公 室 的 电话是五三九一九零六一。

4. Translate the following sentences into Chinese.

1) Where do you live?

2) What is your mobile phone number?

3) What is your room number?

4) What is your E-mail address?

5) Do you use Facebook?

6) Is Mr Chen in his office now?

7) When will you come to my office?

8) Where are you now?

5. Listening Comprehension

Choose the correct answer according to the short dialogues.

1) a. Building No. 3   b. Building No. 5   c. Building No. 8

2) a. Room 1325   b. Room 1425   c. Room 1245

3) a. 61897231   b. 68179231   c. 68197231

4) a. 13580416215   b. 15830416215   c. 18530416215

5) a. 85 Chaoyang Road   b. 55 Chaoyang Road

    c. 35 Chaoyang Road

6. Classroom Activities

Work in pairs: Ask each other's telephone numbers, email addresses, WeChat IDs and the addresses for each other's home, working place, school, etc.

7. Learning Chinese Characters

电									
话									
号									
码									

Lesson 9   Family

Jiārén
家人

 Key sentences

1. 你家有几口人?   Nǐ jiā yǒu jǐ kǒu rén ?
2. 你有兄弟姐妹吗?   Nǐ yǒu xiōngdì jiěmèi ma?
3. 你女儿多大?   Nǐ nǚ'ér duō dà?
4. 你儿子几岁?   Nǐ érzi jǐ suì?
5. 你父母多大年纪?   Nǐ fùmǔ duō dà niánjì?

 New words

1.	家	jiā	n	family, home
2.	口	kǒu	m.w	for family members
3.	爸爸	bàba	n	dad/father
4.	妈妈	māma	n	mum/mother
5.	哥哥	gēge	n	elder brother
6.	弟弟	dìdi	n	younger brother
7.	姐姐	jiějie	n	elder sister
8.	妹妹	mèimei	n	younger sister
9.	兄弟姐妹	xiōngdì jiěmèi	n	siblings
10.	个	gè	m.w	for people or objects in general
11.	没	méi	adv	not have, there is not

12.	只	zhǐ	adv	*only*
13.	孩子	háizi	n	*kid, child*
14.	爱人	àiren	n	*spouse, husband or wife*
15.	女儿	nǚ'ér	n	*daughter*
16.	儿子	érzi	n	*son*
17.	多大	duō dà	q.w	*how old, how big*
18.	大	dà	adj	*big, large*
19.	小	xiǎo	adj	*small, little*
20.	岁	suì	m.w	*year (of age)*
21.	年纪	niánjì	n	*age*
22.	父母亲	fùmǔqin	n	*parents*
23.	父亲	fùqin	n	*father*
24.	母亲	mǔqin	n	*mother*

Dialogues

(1)

(Talking about family)

A: Nǐ jiā yǒu jǐ kǒu rén?
你 家 有 几 口 人?

How many people are there in your family?

B: Wǒ jiā yǒu wǔ kǒu rén.
我 家 有 五 口 人。

There are five people in my family.

A: Tāmen shì shuí?
他 们 是 谁?

Who are they?

B: Wǒ bàba, māma, gēge,
我 爸爸、妈妈、哥哥、

mèimei hé wǒ.
妹 妹 和 我。

They are my dad, my mum, my older brother, my younger sister and myself.

(2)

(Talking about siblings)

A: Nǐ yǒu xiōngdì jiěmèi ma?
你 有 兄弟姐妹 吗?

Do you have any siblings?

B: Yǒu , wǒ yǒu yí gè jiějie
有, 我有一个姐姐

Yes, I have an older sister and
a younger brother. How about you?

hé yí gè dìdi. Nǐ ne?
和一个弟弟。你呢?

A: Wǒ méiyǒu xiōngdì jiěmèi.
我 没有 兄 弟姐妹。

I don't have any brothers or sisters.

Wǒ jiā zhǐ yǒu wǒ yí gè háizi.
我 家 只 有 我 一个 孩子。

I am the only child in my family.

(3)

(Talking about extended family)

A: Nǐ jiā yǒu jǐ kǒu rén?
你 家 有 几 口 人?

How many people are there in your
family?

B: Sì kǒu. Wǒ àiren, liǎng gè
四口。我爱人、两 个

There are four people in my family.
My wife, two daughters and myself.

nǚ'ér hé wǒ.
女儿和 我。

A: Nǐ nǚ'ér duō dà?
你 女儿 多 大?

How old are your daughters?

B: Dà nǚ'ér shíwǔ suì, xiǎo
大 女儿十五岁, 小

My eldest daughter is 15 years old, and
my youngest daughter is 12 years old.

nǚ'ér shí'èr suì.
女儿 十二岁。

A: Nǐ fùmǔqìn ne? Tāmen
你 父母亲 呢? 他们

What about your parents?

duō dà niánjì?
多 大 年纪?

How old are they?

B: Fùqin qīshí'èr suì, mǔqin
父亲 七十二岁, 母亲
liùshí'èr suì.
六十二岁。

My father is 72 years old, and my mother is 62 years old.

(4)

(Talking about age)

A: Nǐ yǒu háizi ma?
你 有 孩子 吗?

Do you have any children?

B: Yǒu. Wǒ yǒu yí gè érzi.
有。我 有 一 个 儿子。

Yes, I have a son.

A: Tā jǐ suì?
他 几岁?

How old is he?

B: Liǎng suì.
两 岁。

Two years old.

Language Points

1. Measure words

In Chinese, a numeral alone cannot function as an attributive, but must be combined with a measure word inserted between the numeral and the noun it modifies. The pattern is: Number + MW +N.

For example:

1) sì kǒu rén
   四 口 人   *four people*

2) wǔ gè xuésheng
   五 个 学 生   *five students*

Apart from using numbers before measure words, 这 zhè / 那 nà / 哪 nǎ can also

be used before measure words. The pattern is: 这 zhè / 那 nà / 哪 nǎ + MW + N.
For example:

1) 这个人
   zhè ge rén

   this person

2) 那个商店
   nà ge shāngdiàn

   that shop

3) 哪个老师
   nǎ ge lǎoshī

   which teacher

2. 二 èr and 两 liǎng

Both mean 'two' in English, but when the number 'two' comes before a measure word, or before a noun where no measure word is required, 两 liǎng is used instead of 二 èr. For example:

两点 liǎng diǎn	*two o'clock*	两天 liǎng tiān	*two days*	两年 liǎng nián	*two years*
两岁 liǎng suì	*two years old (age)*	两个星期 liǎng gè xīngqī	*two weeks*	两个月 liǎng gè yuè	*two months*

But in numbers larger than ten, such as 12, 22, 32, 42, etc., 二 èr is used irrespective of whether it is followed by a measure word, as in

十二点 shí'èr diǎn	*12 o'clock*	十二天 shí'èr tiān	*12 days*	二十二年 èrshí'èr nián	*22 years*
三十二岁 sānshí'èr suì	*32 years old*	十二个星期 shí'èr gè xīngqī	*12 weeks*	十二个月 shí'èr gè yuè	*12 months*

3. 几 jǐ and 多少 duōshao

These both mean 'how many, how much'. When asking about a number under 10, we usually use 几 jǐ. When asking about a number more than 10, we usually use 多少 duōshao. For example:

1) 你家有几口人?
   Nǐ jiā yǒu jǐ kǒu rén?

   How many people are there in your family?

2) 你们大学有多少学生?
   Nǐmen dàxué yǒu duōshao xuésheng?

   How many students are there in your university?

Please note: 几 jǐ must be followed by a measure word while 多少 duōshao might be used without a measure word.

4. Asking someone's age

There are three ways to ask:

1) Nǐ jǐ suì?
   你几岁？

   Normally used for children under the age of ten.

2) Nín duō dà niánjì?
   您多大年纪？

   Used for older people. It's a very polite way to ask a person's age.

3) Nǐ duō dà?
   你多大？

   Used for teenagers and other adults. In fact, it can be used for all ages.

 Exercises

1. Match the Chinese with the English.

1) 哥哥 gēge   a. mother
2) 弟弟 dìdi   b. son
3) 姐姐 jiějie   c. younger sister
4) 妹妹 mèimei   d. older sister
5) 孩子 háizi   e. older brother
6) 父亲 fùqin   f. younger brother
7) 母亲 mǔqin   g. spouse
8) 爱人 àiren   h. daughter
9) 儿子 érzi   i. children
10) 女儿 nǚ'ér   j. father

2. Complete the questions according to the age differences.

1) Nǐ gēge _____ ?
   你哥哥 _____ ? (23 years old)

2) Tā nǚ'ér _____ ?
   他女儿 _____ ? (3 years old)

3) Nǐ fùqin _____ ?
   你父亲 _____ ? (67 years old)

3. Change the following questions into YES/NO type questions.

1) Nǐ de Hànyǔ lǎoshī shì Běijīngrén ma?
   你的汉语老师是北京人吗？

2) Nǐ yǒu xiōngdì jiěmèi ma?
   你有兄弟姐妹吗？

3) Tā shì nǐ dìdi ma?
   他 是 你 弟弟 吗?

4) Nǐ bàba māma zhù zài Shànghǎi ma?
   你 爸爸 妈妈 住在 上 海 吗?

5) Lǐ xiānsheng zài jiā ma?
   李 先 生 在 家 吗?

4. Translate the following sentences into Chinese.

1) How many people are there in your family?

2) I don't have siblings. I am the only child in my family.

3) I have two younger brothers and one elder sister.

4) How many elder brothers do you have?

5) How old is your younger brother?

5. Listening Comprehension

Choose the correct answer according to the short dialogues.

1) a. four people   b. five people   c. six people

2) a. yes   b. no   c. she has an elder brother

3) a. 14   b. 15   c.16

4) a. 56   b. 57   c. 58

5) a. 6   b. 7   c. 8

6. Classroom Activities

Talk about yourself and your family in Chinese. Include such information as the number of people in your family, who they are, what their names are, and how old they are.

7. Learning Chinese Characters

兄									
弟										
姐										
妹										

 **Occupations**

Zhíyè
职业

 Key sentences

1. 你在哪儿工作?   Nǐ zài nǎr gōngzuò?
2. 你做什么工作?   Nǐ zuò shénme gōngzuò?
3. 你弟弟工作吗?   Nǐ dìdi gōngzuò ma?
4. 你父亲是医生吗?   Nǐ fùqin shì yīshēng ma?
5. 他现在不工作，他退休了。 Tā xiànzài bù gōngzuò, tā tuìxiū le.

 New words

1.	工作	gōngzuò	n/v	work, job
2.	银行	yínháng	n	bank
3.	做	zuò	v	do, make
4.	会计师	kuàijìshī	n	certified accountant
5.	会计	kuàijì	n	accountant, accounting
6.	师	shī	n/affix	person skilled in a certain profession
7.	护士	hùshi	n	nurse
8.	医院	yīyuàn	n	hospital
9.	学生	xuésheng	n	student
10.	大学	dàxué	n	university

11. 学习	xuéxí	v/n	*study, learn*
12. 学	xué	v	*study, learn*
13. 秘书	mìshū	n	*secretary*
14. 保险	bǎoxiǎn	n/v	*insurance*
15. 学校	xuéxiào	n	*school*
16. 小学	xiǎoxué	n	*primary school*
17. 经理	jīnglǐ	n	*manager*
18. 电脑	diànnǎo	n	*computer*
19. 软件	ruǎnjiàn	n	*software*
20. 医生	yīshēng	n	*doctor*
21. 律师	lǜshī	n	*lawyer*
22. 退休	tuìxiū	v	*retire*
23. 了	le	pt	*indicate a change of situation*

Dialogues

(1)

(Talking about work)

A: Nǐ zài nǎr gōngzuò?   *Where do you work?*
你 在 哪儿 工 作？

B: Wǒ zài yínháng gōngzuò.   *I work in a bank.*
我 在 银 行 工 作。

A: Nǐ zuò shénme gōngzuò?   *What do you do for a living?*
你 做 什 么 工 作？

B: Wǒ shì kuàijìshī. Nǐ ne?   *I am an accountant. And you?*
我 是 会计师。你呢？

A: Wǒ shì hùshi, zài yīyuàn gōngzuò.   *I am a nurse. I work in a hospital.*
我 是 护士，在 医 院 工 作。

(2)

(Asking about study)

A: Nǐ dìdi gōngzuò ma?
你弟弟工作吗？

Does your younger brother work?

B: Bù gōngzuò, tā shì xuésheng,
不工作，他是学生，

He doesn't work. He is a student.

tā zài dàxué xuéxí.
他在大学学习。

He is studying at a university.

A: Nǐ jiějie ne?
你姐姐呢？

How about your elder sister?

B: Tā gōngzuò, tā shì mìshū.Tā
她工作，她是秘书。她

She works. She is a secretary.

zài bǎoxiǎn gōngsī gōngzuò.
在保险公司工作。

She works in an insurance company.

(3)

(Talking about professions)

A: Nǐ māma zài nǎr gōngzuò?
你妈妈在哪儿工作？

Where does your mother work?

B: Zài xuéxiào gōngzuò.
在学校工作。

She works in a school.

A: Tā shì lǎoshī ma?
她是老师吗？

Is she a teacher?

B: Shì, tā shì xiǎoxué lǎoshī.
是，她是小学老师。

Yes, she is a primary school teacher.

A: Nǐ bàba zuò shénme gōngzuò?
你爸爸做什么工作？

What does your father do for a living?

B: Tā shì jīnglǐ, zài diànnǎo
他是经理，在电脑

He is a manager. He works in a computer software company.

ruǎnjiàn gōngsī gōngzuò.
软件公司工作。

(Asking somebody's occupation)

A: Nǐ fùqin shì yīshēng ma?
你 父亲 是 医 生 吗?

Is your father a doctor?

B: Bú shì, tā shì lùshī.
不 是，他 是 律师。

No, he is a lawyer.

A: Tā zài nǎr gōngzuò?
他 在 哪儿 工 作?

Where does he work?

B: Tā xiànzài bù gōngzuò,
他 现在 不 工 作，

He doesn't work anymore. He's retired.

tā tuìxiū le.
他 退休 了。

A: Nǐ mǔqin ne?
你 母 亲 呢?

How about your mother?

B: Tā yě tuìxiū le.
她 也 退休 了。

She's retired, too.

Language Points

1. Sentence order when using 在 zài

In this lesson, the word 在 zài is a preposition, not a verb, meaning 'at, in, on (a place)'. The pattern is: Subject + 在 zài + Place + Verb.

For example:

Nǐ māma zài nǎr gōngzuò?
1) 你妈妈在哪儿工作?   *Where does your mother work?*

Tā zài yínháng gōngzuò.
2) 她在银行工作。   *She works in a bank.*

Here 工作 gōngzuò is a main verb. '在 zài + place' is a prepositional phrase. However, 在 zài is often followed by a place or location word.

2. The particle 了 le

There are many different grammatical functions of 了 le. In this lesson it indicates a change of state or situation. When 了 le is used in sentences that describe a present event, it indicates that a new situation has appeared. For example:

Tā tuìxiū le.
1) 他退休了。   *He has retired. (He used to work, but not anymore)*

Tā shì lǎoshī le.
2) 她是老师了。   *She is a teacher. (now) (She wasn't a teacher before)*

3. The keyword 学 xué

This is a verb. In Chinese, any learning related phrase can be combined with it. See the table below:

Table 13. Combinations using 学 xué

学 xué + *to study, learn*	生 shēng	*student*
	习 xí	*study, studying, learn, learning*
	校 xiào	*school*
	院 yuàn	*college*

大 dà		*university*		*university student*
中 zhōng	+ 学 xué	*secondary school*	+ 生 shēng	*secondary school student*
小 xiǎo		*primary school*		*primary school student*

1. Match the Chinese with the English.

1) 医生 yīshēng   a. business man/women

2) 护士 hùshi   b. teacher

3) 老师 lǎoshī   c. lawyer

4) 会计 kuàijì   d. manager

5) 商人 shāngrén   e. secretary

6) 律师 lùshī   f. accountant

7) 秘书 mìshū   g. doctor

8) 经理 jīnglǐ   h. nurse

2. Fill in the blanks with the words given; each word can only be used once.

> a. 学校 xuéxiào   b. 大学 dàxué   c. 公司 gōngsī   d. 医院 yīyuàn
> e. 银行 yínháng

Wǒ jiějie shì hùshi, tā zài _____ gōngzuò.

1) 我姐姐是护士,她在_____工作。

Fāng Lán shì zhōngxué lǎoshī, tā zài _____ gōngzuò.

2) 方兰是中学老师,她在_____工作。

Wáng Xiǎoyù shì kuàijì, tā zài _____ gōngzuò.

3) 王小玉是会计,她在_____工作。

Gāo Péng shì jīnglǐ, tā zài diànnǎo _____ gōngzuò.

4) 高朋是经理,他在电脑_____工作。

Luó jié shì Yīngguó xuésheng, tā zài Běijīng _____ xuéxí.

5) 罗杰是英国学生,他在北京_____学习。

3. Translate the following sentences into English.

Wǒ māma zài jiā, tā bù gōngzuò.

1) 我妈妈在家,她不工作。

Wǒ xiànzài méiyǒu gōngzuò.

2) 我现在没有工作。

Wǒ fùmǔqin dōu tuìxiū le.

3) 我父母亲都退休了。

Wǒ mèimei xiànzài shì yīshēng le.

4) 我妹妹现在是医生了。

5) 我 的 朋 友 安 娜 是 秘 书，她 在 银 行　工 作。

4. Translate the following sentences into Chinese.

1) Where does your mother work?

2) What does your father do for a living?

3) Is your father a lawyer?

4) This is my younger brother, not my elder brother.

5) My elder sister is a teacher. She works in a secondary school.

5. Listening Comprehension

Mark the sentences true (T) or false (F) according to the short dialogues.

1) He is an accountant, and works in a bank. ( )

2) She works in a school. ( )

3) She is a doctor. ( )

4) He is a lawyer. He is not a teacher. ( )

5) He is not working. ( )

6. Classroom Activities

Work in pairs: Ask each other where you work, what kind of job you do, and where your work place is located.

Group work: Talk about your family members, who they are, their names, what jobs they do and their ages with your classmates.

7. Learning Chinese Characters

公									
司									
工									
作									

Lesson 11 Telephoning

Dǎ diànhuà
打电话

Key sentences

1. 喂，请问方兰在吗?   Wèi, qǐngwèn Fāng Lán zài ma?

2. 请问您找谁?   Qǐngwèn nín zhǎo shuí?

3. 您是哪位?   Nín shì nǎ wèi?

4. 真对不起，你有事吗?   Zhēn duìbuqǐ, nǐ yǒu shì ma?

5. 您要留言吗?   Nín yào liúyán ma?

New words

1.	喂	wèi	int	*hello, hey*
2.	位	wèi	m.w	*for person (polite)*
3.	等	děng	v	*wait*
4.	找	zhǎo	v	*look for, find*
5.	要	yào	v	*want, need*
6.	留言	liúyán	v	*leave message*
7.	给	gěi	v/prep	*give, for*
8.	回电话	huí diànhuà	v-o	*call back*
9.	回	huí	v	*return*
10.	一定	yídìng	adv	*certainly, definitely*
11.	告诉	gàosu	v	*tell*

12. 刚才	gāngcái	adv	*just now*
13. 打电话	dǎ diànhuà	v-o	*make a phone call*
14. 打	dǎ	v	*dial (a phone number)*
15. 关机	guānjī	v	*turn off, power off*
16. 大概	dàgài	adv	*probably, roughly, about*
17. 真	zhēn	adj/adv	*real, true, really, truly*
18. 对不起	duìbuqǐ	i.e	*sorry*
19. 事	shì	n	*matter, things, issue*
20. 没人	méi rén	pron	*nobody, none*
21. 接电话	jiē diànhuà	v-o	*answer the phone*
22. 接	jiē	v	*pick up, receive*
23. 没关系	méi guānxi	i.e	*it doesn't matter*

Dialogues

(1)

(Phoning somebody's home)

A: Wèi, qǐngwèn Fāng Lán zài ma?　　Hello, is Fang Lan there, please?
喂，请问方兰在吗？

B: Zài, nín shì nǎ wèi?　　Yes, who is calling?
在，您是哪位？

A: Wǒ shì Wáng Xiǎoyù.　　This is Wang Xiaoyu.
我是王小玉。

B: Qǐng děng yíxià.　　Hold on a second, please.
请等一下。

(2)

(Phoning a company)

A: Nǐ hǎo, zhèli shì Zhōngguó
你 好，这里是 中 国

Yínháng.Qǐngwèn nín zhǎo shuí?
银 行，请 问 您 找 谁?

Hello, this is the Bank of China.
Who would you like to speak to?

B: Wǒ zhǎo Mǎ jīnglǐ.
我 找 马 经理。

I'd like to speak to Manager Ma.

A: Tā bú zài. Nín shì nǎ wèi?
他 不 在。您 是 哪位?

Sorry, he is not in. May I ask who
is calling?

B: Wǒ shì Gāo Péng.
我 是 高 朋。

I am Gao Peng.

A: Nín yào liúyán ma?
您 要 留 言 吗?

Would you like to leave a message?

B: Qǐng Mǎ jīnglǐ gěi wǒ huí
请 马 经理给 我 回

diànhuà.
电 话。

Could you please ask him to call
me back?

A: Hǎo, wǒ yídìng gàosu tā.
好，我 一 定 告 诉 他。

Sure, I'll let him know.

(Using a mobile phone to call a friend)

A: Wèi, gāngcái gěi nǐ dǎ diànhuà,
喂，刚才给你打电话，

Nǐ de shǒujī guānjī.
你的手机关机。

Hey, I just called you, but your mobile phone is off.

B: Shì ma? Jǐ diǎn?
是吗？几点？

Really? When did you call?

A: Dàgài shí diǎn.
大概十点。

About 10:00.

B: Zhēn duìbuqǐ. Nǐ yǒu shì ma?
真对不起。你有事吗？

I'm so sorry. Is something the matter?

A: Zhōumò shì wǒ shēngrì,
周末是我生日，

wǒmen qù kàn diànyǐng ba?
我们去看电影吧？

My birthday is this weekend, shall we go to see a film?

B: Hǎo a !
好啊!

That would be great!

(Phoning a friend)

A: Xiǎoyù, jīntiān shàngwǔ nǐmen
小玉，今天上午你们

bàngōngshì méi rén jiē diànhuà.
办公室没人接电话。

Xiaoyu, no one answered the phone in your office this morning.

B: Duìbuqǐ, shàngwǔ wǒ bú zài
对不起，上午我不在

bàngōngshì.
办公室。

Sorry, I wasn't in this morning.

A: Méi guānxi.
没关系。

It doesn't matter.

Language Points

1. 喂 wèi

A word that is used to start a telephone conversation. It means 'hello' or 'hey'.

2. 哪位 nǎ wèi

A phrase usually used for telephone conversations. It means 'who is calling?' Literally: 'which one (are you?)'

3. 您找谁 Nín zhǎo shuí ?

A fixed phrase used for telephone conversation, especially for answering a phone call. It means: 'who do you want to speak to?' Literally: 'you are looking for who?'

4. 给 gěi

As a verb, this means 'to give', but it can also be a preposition that can introduce the object of an action with the meaning 'for' or 'to'. For example:

Wǒ gěi wǒ māma dǎ diànhuà.

1) 我 给 我 妈妈 打 电 话。 *I will give my mum a call.*

Wǒ dǎ diànhuà gěi wǒ bàba.

2) 我 打 电 话 给 我 爸爸。 *I will make a phone call to my dad.*

Wǒ gěi wǒ péngyou mǎi shū.

3) 我 给 我 朋 友 买 书。 *I will buy a book for my friend.*

Table 14. Phrases related to 电话 diànhuà

打 dǎ		*make a phone call*
回 huí	+ 电话 diànhuà *telephone*	*call back or return a call*
接 jiē		*answer a phone call*
留言 liúyán		*leave a message*
占线 zhànxiàn		*line engaged*
发短信 fā duǎnxìn		*send a text message*

1. Match the English with the Chinese.

1) make a phone call   a. 占线 zhànxiàn

2) leave a message   b. 回电话 huí diànhuà

3) call back   c. 发短信 fā duǎnxìn

4) the line is engaged   d. 手机关机 shǒujī guānjī

5) answer the phone   e. 没人接电话 méi rén jiē diànhuà

6) the mobile phone is off   f. 留言 liúyán

7) no answer   g. 打电话 dǎ diànhuà

8) send a text message   h. 接电话 jiē diànhuà

2. Fill in the blanks with the words given; each word can only be used once.

a. 给 gěi   b. 哪 nǎ   c. 没人 méi rén   d. 在 zài   e. 找 zhǎo

1) Qǐngwèn, Wáng xiānsheng _____ ma?
请 问，王 先 生_____吗？

2) Nín shì _____ wèi?
您 是_____位？

3) Qǐngwèn, nín _____ shuí?
请 问，您_____谁？

4) Zuótiān wǒ bú zài jiā. _____ jiē diànhuà.
昨 天 我 不 在 家，_____接 电 话。

5) Jīntiān wǎnshang wǒ _____ nǐ dǎ diànhuà, hǎo ma?
今 天 晚 上 我_____你 打 电 话，好 吗？

3. Translate the following sentences into English.

1) Qǐngwèn, nín zhǎo shuí?
请 问，您 找 谁？

2) Zhāng jīnglǐ zài ma?
张 经 理 在 吗？

3) Wèi, shì Shànghǎi jìnchūkǒu gōngsī ma?
喂，是 上 海 进 出 口 公 司 吗？

4) Nín shì nǎ wèi
您 是 哪 位？

5) Wáng mìshū de diànhuà hàomǎ shì duōshao?
王 秘 书 的 电 话 号 码 是 多 少？

4. Translate the following sentences into Chinese.

1. This is Gao Peng speaking.
2. May I ask who is calling?
3. Sorry, Mr Wang is not in.
4. Would you like to leave a message?
5. Can you call me tomorrow afternoon?

5. Listening Comprehension

Mark true (T) or false (F) according to the short dialogues.

1)	Mr Li is not in.	( )
2)	This is Gao Peng from Bank of China.	( )
3)	He will call Mr Li again.	( )
4)	This is Shanghai Import & Export Company.	( )
5)	The line is engaged.	( )

6. Classroom Activities

Role play:

Make a phone call to your Chinese friend's home. Unfortunately, she/he is not in. Ask her/his partner to pass on a message. You want your friend to call you back. Leave your mobile phone number for her/him to call.

7. Learning Chinese Characters

手									
机									
留									
言									

Review & Test

Fùxí yǔ cèyàn

复习与测验

Part 1 Review for Lessons 7-11

 **Key patterns**

1. Sentence patterns:

Patterns	Examples
Statement + 吧 ba ?	Wǒmen qù kàn diànyǐng ba? 我们去看电影吧?
Statement + 好吗 hǎo ma ?	Wǒ qǐng nǐ chī Zhōngguó fàn, hǎo ma? 我请你吃中国饭, 好吗?
太 tài + **Adjective** + 了 le	Zhè ge diànyǐng tài hǎo le! 这个电影太好了!
Adjective + 极了 jíle	Nà běn cídiǎn hǎo jíle! 那本词典好极了!
Subject + **Time Words** + **V** + **O**	Wǒ míngnián bā yuè qù Zhōngguó. 我明年八月去中国。
Subject + (不 bú) 在 zài + **Place**	Tā (bú) zài bàngōngshì. 他(不)在办公室。
Subject + (没 méi) 有 yǒu + **Object**	Wǒ (méi) yǒu xiōngdì jiěmèi. 我 (没) 有兄弟姐妹。
Subject + 在 zài + **Place** + **Verb**	Wǒ zài yínháng gōngzuò. 我在银行 工作。
Statement + 了 le (change situation)	Tā bù gōngzuò le, tuìxiū le. 他不工作了,退休了。

| Subject + Number + 岁 suì | Tā jīnnián shíjiǔ suì.
她 今年 十九 岁。 |
| A 给 gěi B + V + O | Wǒ gěi wǒ māma dǎ diànhuà.
我 给 我 妈妈 打 电 话。 |

2. Questions & Answers:

Questions	Answers
Zhōumò nǐ yǒu shíjiān ma? 周 末 你 有 时 间 吗?	Méi shíjiān, wǒ hěn máng. 没 时 间，我 很 忙。
Nǐ xiànzài yǒu kòng ma? 你 现 在 有 空 吗?	Duìbuqǐ, méi kòng. 对 不 起，没 空。
Nǐ shénme shíhou qù Zhōngguó? 你 什 么 时 候 去 中 国?	Míngnián bā yuè. 明 年 八 月。
Nǐ shénme shíjiān chī wǎnfàn? 你 什 么 时 间 吃 晚 饭?	Wǎnshang liù diǎn bàn. 晚 上 六 点 半。
Nǐ měi tiān jǐ diǎn qǐchuáng? 你 每 天 几 点 起 床?	Zǎoshang qī diǎn qǐchuáng. 早 上 七 点 起 床。
Nǐ zhù nǎr? 你 住 哪 儿?	Wǒ zhù Dōnghuán Gōngyù. 我 住 东 环 公 寓。
Nǐ de diànhuà hàomǎ shì duōshao? 你 的 电 话 号 码 是 多 少?	Yāo sān bā yāo líng wǔ yāo qī liù sì èr. 一 三 八 一 零 五 一 七 六 四 二。
Nǐ jiā yǒu jǐ kǒu rén? 你 家 有 几 口 人?	Wǒ jiā yǒu wǔ kǒu rén. 我 家 有 五 口 人。
Jīnnián nǐ duō dà? 今 年 你 多 大?	Èrshísān suì. 二 十 三 岁。
Nǐ érzi jǐ suì? 你 儿 子 几 岁?	Liǎng suì. 两 岁。
Nǐ māma zuò shénme gōngzuò? 你 妈 妈 做 什 么 工 作?	Tā shì lǎoshī. 她 是 老 师。
Nín shì nǎ wèi? 您 是 哪 位?	Wǒ shì Wáng Xiǎoyù. 我 是 王 小 玉。
Nǐ zhǎo shuí? 你 找 谁?	Wǒ zhǎo Fāng Lǎoshī. 我 找 方 老 师。

Part 2 Test for Lessons 7-11

1. Reading Comprehension

Text

Luójié shì wǒ de hǎo péngyou, tā shì Yīngguórén, tā de jiā zài
罗 杰 是 我 的 好 朋 友 ，他 是 英 国 人，他 的 家 在
Lúndūn. Tā jiā yǒu sì kǒu rén, tā bàba、māma、jiějie hé tā. Luójié
伦 敦 。他 家 有 四 口 人，他 爸 爸 、妈 妈 、 姐 姐 和 他 。罗 杰
de bàba bù gōngzuò, tuìxiū le. tā māma shì lǎoshī, zài dàxué gōng-
的 爸 爸 不 工 作 ，退 休 了。他 妈 妈 是 老 师 ，在 大 学 工
zuò. Tā jiějie jiào Mǎlì, jīnnián èrshíliù suì shì mìshū, zài yínháng
作 。 他 姐 姐 叫 玛 丽，今 年 二 十 六 岁 ，是 秘 书 ，在 银 行
gōngzuò. Mǎlì, měi tiān dōu hěn máng.
工 作 。 玛 丽 ，每 天 都 很 忙 。

Luójié xiànzài zhù zài Běijīng, shì Běijīng Dàxué de xuésheng, tā
罗 杰 现 在 住 在 北 京 ，是 北 京 大 学 的 学 生 ，他
xuéxí Hànyǔ. Luójié yǒu hěn duō Zhōngguó péngyou, zhōumò tā-
学 习 汉 语 。 罗 杰 有 很 多 中 国 朋 友 ，周 末 他
men yìqǐ qù kàn diànyǐng, chī Zhōngguó fàn. Zhè ge zhōumò shì
们 一 起 去 看 电 影 、吃 中 国 饭 。 这 个 周 末 是
Luójié de shēngrì, péngyoumen qǐng tā chī kǎoyā, tā hěn gāoxìng.
罗 杰 的 生 日，朋 友 们 请 他 吃 烤 鸭，他 很 高 兴 。

（ zìshù: yìbǎi qīshísān ）
（ 字数 ： 1 7 3 ）

(1) Read the short passage above. Decide if each of the following statements is
True/False/Not mentioned by circling the correct option.

1) Roger has a younger sister.

    a. True   b. False   c. Not mentioned

2) Roger is living in London.

    a. True   b. False   c. Not mentioned

3) Roger's father is retired.

    a. True   b. False   c. Not mentioned

4) They went to a Chinese restaurant on Roger's birthday.

    a. True   b. False   c. Not mentioned

5) Roger's friends invite him to eat roast duck.

    a. True   b. False   c. Not mentioned

(2) Read the short passage above again, and circle the correct answer to each question according to the information in the passage.

1) What does Roger's mother do for living?

    a. She is a lawyer.   b. She is a doctor.   c. She is a teacher.

2) Where does Roger's sister work?

    a. At a bank.   b. At a hospital.   c. At a school.

3) What do Roger and his friends often do at the weekend?

    a. Watch films.   b. Eat out.   c. Go shopping.

4) Why doesn't Roger's father work?

    a. He doesn't want to.   b. He is retired.   c. He is not well.

5) What is Roger doing in Beijing?

    a. Visiting friends.   b. Learning Chinese.   c. Working.

2. Using Language

(1) Fill in the blanks with the words given; each word can only be used once.

a. 一起 yìqǐ	b. 没人 méi rén	c. 没有 méiyǒu	d. 刚才 gāngcái	e. 给 gěi

gāngcái yǒu rén lái nǐ de bàngōngshì.

1) _____ 有 人 来 你 的 办 公 室。

Qǐng gàosu Fāng Lán _____ wǒ huí diànhuà.

2) 请 告 诉 方 兰 _____ 我 回 电 话。

Míngtiān wǒ gēn péngyou _____ qù chī Yìdàlì fàn.

3) 明 天 我 跟 朋 友 _____ 去 吃 意 大 利 饭。

Wáng Yīng _____ xiōngdì jiěmèi.

4) 王 英 _____ 兄 弟 姐 妹。

Zhōngwǔ wǒmen dōu qù chī wǔfàn, bàngōngshì de diànhuà _____ jiē.

5) 中 午 我 们 都 去 吃 午 饭，办 公 室 的 电 话 _____ 接。

(2) Circle the correct sentence according to the English meaning.

1) How many people are there in your family?

Jǐ kǒu rén nǐ jiā yǒu?

    a. 几 口 人 你 家 有？

Nǐ jiā yǒu jǐ rén?

    b. 你 家 有 几 人？

Nǐ jiā yǒu jǐ kǒu rén?

    c. 你 家 有 几 口 人？

2) My daughter is two years old.

Wǒ nǚ'ér èr suì.

    a. 我 女 儿 二 岁。

Wǒ nǚ'ér liǎng suì.
b. 我女儿 两 岁。

Wǒ nǚ'ér shì liǎng suì.
c. 我女儿是 两 岁。

3) What is your telephone number?

Nǐ de diànhuà shì shénme hàomǎ?
a. 你的 电 话 是 什 么 号 码?

Nǐ de diànhuà hàomǎ shì duōshao?
b. 你的 电 话 号 码是 多 少?

Shénme shì nǐ de diànhuà hàomǎ?
c. 什 么 是你的 电 话 号 码?

4) Excuse me, who do you want to speak to?

Qǐngwèn nín zhǎo shuí?
a. 请 问 您 找 谁?

Qǐngwèn nín yào shuō shuí?
b. 请 问 您 要 说 谁?

Qǐngwèn nín shuō shuí?
c. 请 问 您 说 谁?

5) My father works in a hospital.

Wǒ bàba gōngzuò zài yí gè yīyuàn.
a. 我 爸爸 工 作 在一个 医院。

Wǒ bàba gōngzuò zài yīyuàn.
b. 我 爸爸 工 作 在 医院。

Wǒ bàba zài yīyuàn gōngzuò.
c. 我 爸爸 在 医院 工 作。

(3) Make sentences by re-arranging the word order of the words given.

nǐ / guānjī / gāngcái / de / shǒujī /.
1) a. 你 / b. 关机 / c. 刚才 / d. 的 / e. 手机 / 。

_____

yǒu / tā / xiōngdì / sì gè / jiěmèi /.
2) a. 有 / b. 他 / c. 兄弟 / d. 四个 / e. 姐妹 / 。

_____

dǎ diànhuà / míngtiān / gěi nǐ / wǒ / xiàwǔ /.
3) a. 打电话 / b. 明天 / c. 给你 / d. 我 / e. 下午 / 。

_____

xīngqītiān / měi gè / shāngdiàn / wǒmen / qù / yìqǐ.
4) a. 星期天 / b. 每 个 / c. 商店 / d. 我们 / e. 去 / f. 一起。

_____

tā / gōngzuò / měi tiān / cóng / dào / zhōuyī / zhōuwǔ /.
5) a. 她 / b. 工作 / c. 每 天 / d. 从 / e. 到 / f. 周一 / g. 周五 / 。

_____

Lesson 13 Hobbies

Àihào
爱好

Key sentences

1. 周末你喜欢做什么? Zhōumò nǐ xǐhuan zuò shénme?
2. 你喜欢运动吗? Nǐ xǐhuan yùndòng ma?
3. 你会说德语吗? Nǐ huì shuō Déyǔ ma?
4. 你会不会写汉字? Nǐ huì bú huì xiě Hànzì?
5. 我可以用汉字写邮件。 Wǒ kěyǐ yòng Hànzì xiě yóujiàn.

New words

1. 喜欢	xǐhuan	v	like, enjoy
2. 踢	tī	v	kick, play
3. 足球	zúqiú	n	football
4. 球	qiú	n	ball
5. 打	dǎ	v	hit, play (in a sport or game)
6. 网球	wǎngqiú	n	tennis
7. 上网	shàngwǎng	v-o	surf the Internet
8. 博客	bókè	n	blog
9. 玩	wán	v	play, have fun
10. 游戏	yóuxì	n	game
11. 运动	yùndòng	v/n	sport, exercise

12.	非常	fēicháng	adv	very, extremely
13.	游泳	yóuyǒng	v-o	swim, swimming
14.	跑步	pǎobù	v-o	jog, run
15.	爱好	àihào	n/v	hobby, interest
16.	外语	wàiyǔ	n	foreign language
17.	会	huì	m.v	can, be able to
18.	想	xiǎng	m.v/v	want to, think, miss
19.	中文	Zhōngwén	n	Chinese (language or writing)
20.	能	néng	m.v/v	be able to, can, be capable
21.	书	shū	n	book
22.	常	cháng	adv	often
23.	写	xiě	v	write
24.	汉字	Hànzì	n	Chinese character
25.	可以	kěyǐ	m.v	may, can

Dialogues

(1)

(Talking about hobbies)

A: Zhōumò nǐ xǐhuan zuò shénme?　　*What do you like to do at weekends?*
　　周 末 你 喜欢 做 什 么?

B: Wǒ xǐhuan tī zúqiú、dǎ wǎngqiú.　　*I like to play football and tennis.*
　　我 喜 欢 踢 足球、打 网 球。　　*How about you?*
　　Nǐ ne?
　　你 呢?

A: Wǒ xǐhuan shàngwǎng wán　　*I like to play computer games.*
　　我 喜欢 上 网 玩
　　diànzǐ yóuxì.
　　电 子 游戏。

(2)

(Talking about sports)

A: Nǐ xǐhuan yùndòng ma?
你 喜 欢　运 动　吗？

Do you like any sports?

B: Xǐhuan, wǒ fēicháng xǐhuan
喜 欢，我 非 常 喜 欢

yóuyǒng.
游 泳。

Yes, I like swimming very much.

A: Wǒ bú tài xǐhuan yóuyǒng.
我 不 太 喜 欢　游 泳。

I'm not too keen on swimming.

B: Nǐ xǐhuan shénme yùndòng?
你 喜 欢　什 么 运 动？

What sports do you like?

A: Wǒ xǐhuan pǎobù. Wǒ měi tiān
我 喜 欢 跑 步。我 每 天

zǎoshang qù pǎobù.
早　上 去 跑 步。

I like jogging. I go for a jog every morning.

(3)

(Talking about learning languages)

A: Nǐ yǒu shénme àihào?
你 有　什 么 爱 好？

Do you have any hobbies?

B: Wǒ xǐhuan xué wàiyǔ, wǒ huì
我 喜 欢　学 外语，我 会

shuō Yīngyǔ hé Fǎyǔ.
说　英 语 和 法语。

I like to learn foreign languages. I can speak English and French.

A: Nǐ huì shuō Déyǔ ma?
你 会　说 德语 吗？

Can you speak German?

B: Bú huì. Wǒ hěn xiǎng xué Déyǔ.
不 会。我 很　想　学 德语。

No, I can't. But I really want to learn German.

(4)

(Finding out about abilities)

A: Nǐ de Zhōngwén búcuò, néng
你的 中 文不错， 能

kàn Zhōngwén shū ma?
看 中 文 书 吗?

Your Chinese is pretty good. Can you read Chinese books?

B: Néng. Wǒ cháng kàn Zhōng-
能。 我 常 看 中

wén shū.
文 书。

Yes, I often read Chinese books.

A: Nǐ huì bú huì xiě Hànzì?
你 会不会 写 汉字?

Can you write Chinese characters?

B: Huì. Wǒ kěyǐ yòng Hànzì xiě
会。我 可以 用 汉字 写

yóujiàn.
邮 件。

Yes, I can write emails in Chinese.

Language Points

1. Modal verbs are used to express feelings, intentions, possibilities, obligations and capabilities. Modal verbs are placed before the main verbs in sentences. The pattern is: Subject + Modal Verb + Verb + Objective.

For example:

Tā xiǎng hē kāfēi.
1) 他 想 喝咖啡。

He would like to drink coffee.

Wǒ yào qù BěiJīng.
2) 我 要 去北京。

I want to go to Beijing.

Wǒ bú huì shuō Hànyǔ.
3) 我 不 会 说 汉语。

I can't speak Chinese.

Table 15. Frequently used modal verbs

MV	Function	Meaning
要 yào	*intention, necessity*	*want; ask for; wish; desire; must*
想 xiǎng	*intention*	*want to; would like to; feel like (something)*
会 huì	*ability, possibility*	*can; be able to; be good at; be skilful in*
能 néng	*ability, permission*	*can; be able to; be capable of*
可以 kěyǐ	*ability, permission*	*can; may*
应该 yīnggāi	*necessity*	*should; ought to; must*

2. 会 huì and 能 néng

Both have the meaning of 'can' and 'be able to', but 会 huì expresses the grasping of a skill through learning and 能 néng expresses capability or possibility provided by circumstances or reason. For example:

Tā huì dǎ wǎngqiú.
1) 他会打网球。 *He can play tennis. (After learning, he knows how to play.)*

Wǒ kěyǐ kàn Zhòngwén shū.
2) 我可以看中文书。 *I am able to read Chinese books. (I have the capability to read.)*

Wǒ bù néng qù nǐ de shēngrìhuì.
3) 我不能去你的生日会。 *I'm unable to attend your birthday party. (I have a certain reason.)*

Table 16. Phrases related to 球 qiú

Verb	Name of the ball		English
打 dǎ + *play*	篮 lán		*basketball*
	网 wǎng		*tennis*
	乒乓 pīngpāng	+ 球 qiú *all kind of balls*	*table tennis*
	羽毛 yǔmáo		*badminton*
	板 bǎn		*cricket*
踢 tī + *kick (play)*	足 zú		*football*
	橄榄 gǎnlǎn		*rugby*

1. Fill in the blanks with the words given; each word can only be used once.

a. 会 huì   b. 喜欢 xǐhuan   c. 可以 kěyǐ   d. 能 néng   e. 想 xiǎng

Nǐ _____ chī Běijīng kǎoyā ma?
1) 你 _____ 吃 北京 烤鸭 吗？

Nǐ _____ shénme shíhou qù Zhōngguó?
2) 你 _____ 什么 时候 去 中 国？

Duìbuqǐ, zhōumò wǒ yǒu shì, bù _____ qù nǐ de shēngrìhuì.
3) 对不起， 周末 我 有事，不 _____ 去 你的 生日会。

Wǒ _____ gěi nǐ dǎ diànhuà ma?
4) 我 _____ 给你 打 电 话 吗？

Nǐ _____ bú _____ shuō Fǎyǔ?
5) 你 _____ 不 _____ 说 法语？

2. Match the verbs with appropriate objects.

1) 踢 tī   a. 游戏 yóuxì
2) 打 dǎ   b. 汉字 Hànzì
3) 写 xiě   c. 足球 zúqiú
4) 玩 wán   d. 汉语 Hànyǔ
5) 说 shuō   f. 网球 wǎngqiú

3. Translate the following sentences into English.

Nǐ xǐhuan shàngwǎng kàn bókè ma?
1) 你喜欢 上 网 看 博客 吗？

Wǒ xǐhuan yùndòng, wǒ měi tiān zǎoshang qù pǎobù.
2) 我 喜欢 运 动， 我 每 天 早 上 去 跑步。

Zhōumò wǒ cháng gēn péngyou yìqǐ qù kàn diànyǐng.
3) 周 末 我 常 跟 朋 友一起去 看 电 影。

Wǒ dìdi huì shuō Xībānyáyǔ hé Fǎyǔ.
4) 我 弟弟会 说 西班牙语 和 法语。

Wǒ měi xīngqī'èr hé xīngqīsì qù yóuyǒng.
5) 我 每 星 期二 和 星 期四 去 游 泳。

4. Translate the following sentences into Chinese.

1) I like to watch Chinese films very much.

2) I would like to go to Shanghai next April.

3) I enjoy playing basketball and tennis.

4) I don't like to play football, but I like to watch football.

5) I can speak Chinese but I can't write Chinese characters.

5. Listening Comprehension

Mark true (T) or false (F) according to the short dialogues.

1) She likes watching American films.   (   )

2) She can speak Italian and French.   (   )

3) She doesn't like to play tennis.   (   )

4) He likes eating Chinese food very much.   (   )

5) He can't read and write Chinese.   (   )

6. Classroom Activities

Make a short presentation and give personal information about:

1) your surname, first name, and nationality

2) the country or place you come from

3) the languages you speak

4) your home and your family members

5) your job and the place where you work or study

6) your hobbies and things that you like or dislike

7. Learning Chinese Characters

喜									
欢									
看									
书									

 **Currency**

Huòbì
货币

Key sentences

1. 在中国买东西用什么钱?   Zài Zhōngguó mǎi dōngxi yòng shénme qián?

2. 在哪儿可以换外币?   Zài nǎr kěyǐ huàn wàibì?

3. 附近有银行吗?   Fùjìn yǒu yínháng ma?

4. 您想换什么钱?   Nín xiǎng huàn shénme qián?

5. 一美元换多少人民币?   Yì Měiyuán huàn duōshao Rénmínbì?

New words

1. 买东西	mǎi dōngxi	v-o	*do shopping*
2. 买	mǎi	v	*buy*
3. 东西	dōngxi	n	*things, goods*
4. 钱	qián	n	*money*
5. 人民币	Rénmínbì	n	*Chinese currency (RMB)*
6. 美元	Měiyuán	n	*US dollar*
7. 英镑	Yīngbàng	n	*pound sterling*
8. 欧元	Ōuyuán	n	*euro*
9. 换	huàn	v	*change, exchange*
10. 外币	wàibì	n	*foreign currency*

11. 机场	jīchǎng	n	*airport*
12. 饭店	fàndiàn	n	*hotel*
13. 附近	fùjìn	l.w	*nearby*
14. 知道	zhīdào	v	*know*
15. 元	yuán	m.w	*unit of RMB*
16. 块	kuài	m.w	*unit of RMB (informal)*
17. 百	bǎi	num	*hundred*
18. 给您	gěi nín	i.e	*here you are*
19. 千	qiān	num	*thousand*
20. 汇率	huìlǜ	n	*exchange rate*
21. 毛	máo	m.w	*unit of RMB (informal)*
22. 让	ràng	v	*let, allow*
23. 最好	zuìhǎo	i.e	*best, it's better*
24. 最	zuì	adv	*most, -est (superlative)*

Dialogues

(1)

(Asking about Chinese currency)

A: Zài Zhōngguó mǎi dōngxi yòng
在 中 国 买 东 西 用

shénme qián?
什 么 钱?

Which currency is used in China?

B: Rénmínbì.
人 民 币。

Renminbi.

A: Měiyuán, Ōuyuán néng yòng ma?
美 元、欧 元 能 用 吗?

Can I use US dollars or euros?

B: Bù néng yòng.
不 能 用。

No, they are not accepted.

(Asking where one can change money)

A: Zài nǎr kěyǐ huàn wàibì?
在 哪儿可以换 外币？

Where can I exchange foreign currency?

B: Yínháng, jīchǎng hé dà fàndiàn
银 行、机场 和 大 饭 店

dōu kěyǐ.
都 可以。

Banks, airports and major hotels are all available.

A: Fùjìn yǒu yínháng ma?
附近 有 银 行 吗？

Is there a bank nearby?

B: Duìbuqǐ, wǒ bù zhīdào.
对 不 起，我 不 知 道。

Sorry, I don't know.

(Changing money in a bank)

A: Xiǎojiě, wǒ xiǎng huàn qián.
小 姐，我 想 换 钱。

Miss, I'd like to change some money.

B: Nín xiǎng huàn shénme qián?
您 想 换 什么 钱？

What kind of money would you like to change?

A: Měiyuán. Yì Měiyuán huàn
美 元。一 美 元 换

duōshao Rénmínbì?
多 少 人 民 币？

US dollars. How much RMB can I get for one dollar?

B: Qī kuài.
七 块。

¥7.

A: Nín xiǎng huàn duōshao?
您 想 换 多 少？

How much would you like to change?

B: Sìbǎi Měiyuán.
四 百 美 元。

$400.

A: Gěi nín. Zhè shì liǎngqiān
给 您。这 是 两 千

Here you are. This is ¥2800.

bābǎi kuài Rénmínbì.

八百 块 人民币。

B: Xièxie.   *Thanks.*

谢谢。

(4)

(Finding out the exchange rates)

A: Qǐngwèn, jīntiān Yīngbàng de *Excuse me, what is the exchange*

请 问，今天 英 镑 的 *rate of pounds to RMB today?*

huìlù shì duōshao?

汇率 是 多 少？

B: Yì Yīngbàng huàn bā kuài *One pound converts to ¥8.85.*

一 英 镑 换 八 块

bā máo wǔ Rénmínbì.

八 毛 五 人民币。

A: Ōuyuán ne?   *How about euros?*

欧 元 呢？

B: Yì Ōuyuán huàn qī kuài wǔ *One euro converts to ¥7.56.*

一 欧 元 换 七 块 五

máo liù Rénmínbì.

毛 六 人民币。

A: Hǎo, ràng wǒ xiǎngxiang. *OK, let me think about it.*

好， 让 我 想 想。

 **Language Points**

1. Chinese currency is known as 人民币 Rénmínbì – the people's currency (RMB).

The units of currency are expressed as: 元 yuán, 角 jiǎo, 分 fēn or 块 kuài, 毛 máo, 分 fēn.

Formal	Informal	Example
元 yuán	块 kuài	1 元 yuán（块 kuài）= 10 角 jiǎo（毛 máo）= 100 分 fēn
角 jiǎo	毛 máo	1 角 jiǎo（毛 máo）=10 分 fēn
分 fēn	分 fēn	

For example:

RMB	Formal	Informal
￥6.00	六元 liù yuán	六块 liù kuài
￥0.50	五角 wǔ jiǎo	五毛 wǔ máo
￥0.08	八分 bā fēn	八分 bā fēn
￥6.58	liù yuán wǔ jiǎo bā fēn 六 元 五 角 八 分	liù kuài wǔ máo bā（fēn）六 块 五 毛 八（分）

Note that if there is more than one currency term involved in a price, the last term can be omitted.

2. Reduplication of verbs

Some verbs can be reduplicated. This is used to soften a sentence or describe a short action or short period of time. It is normally used in spoken language. Examples: 看看 kànkan, 想想 xiǎngxiang, 说说 shuōshuo. This usage is very similar to 'Verb + 一下 yíxià'. It can also be formed as 'Verb+ 一 yí +Verb'. For example:

kànkan = kàn yíxià = kàn yi kàn:
看 看 = 看 一下 = 看 一 看 : *have a quick look*

xiǎngxiang = xiǎng yíxià = xiǎng yi xiǎng
想　想 = 想 一下 = 想 一 想 : *think about it quickly*

3. '让 ràng + Someone + Verb' means 'let, allow or ask someone (to) do something.' For example:

1) Ràng wǒ xiǎngxiang.
让　我　想　想。 *Let me think about it.*

2) Ràng wǒ jièshào yíxià.
让　我　介绍　一下。 *Let me introduce briefly.*

3) Māma bú ràng dìdi hē kāfēi.
妈妈　不　让　弟弟喝咖啡。 *Mum doesn't allow my little brother to drink coffee.*

4. 认识 rènshi and 知道 zhīdào

Both mean 'to know', but 认识 rènshi normally refers to knowing people or recognising Chinese characters, whereas 知道 zhīdào refers to knowing a fact or to having heard about someone. For example:

1) Wǒ rènshi tā.
    我 认识 他。   *I know him. (Personally)*

2) Wǒ rènshi zhè ge Hànzì.
    我 认识 这 个 汉字。   *I recognise this Chinese character.*

3) Wǒ zhīdào tā shì lǎoshī.
    我 知道 她 是 老师。   *I know (the fact) she is a teacher.*
                                   (This means that you have heard of this
                                   person and know who she is, but you may
                                   not know her personally.)

 **Exercises**

1. Say the following amounts in Chinese using the three monetary units.

1) ¥ 10   ¥ 1.20   ¥ 5.64   ¥ 7.08   ¥ 33.94
2) ¥ 580   ¥ 99.99   ¥ 382.16   ¥ 40.60   ¥ 5.05
3) ¥ 0.50   ¥ 2.00   ¥ 4.99   ¥ 119.20   ¥ 49.19

2. Choose the appropriate words to fill in the blanks.

a. 用 yòng	b. 让 ràng	c. 知道 zhīdào	d. 认识 rènshi

1) Nǐ _____ zhè ge Hànzì ma?
    你 _____ 这 个 汉字 吗?

2) Nǐ _____ zhè ge Hànzì zěnme xiě ma?
    你 _____ 这 个 汉字 怎么 写 吗?

3) Wǒ mèimei xǐhuan _____ diànnǎo kàn shū xuéxí.
    我 妹妹 喜欢 _____ 电脑 看 书 学习。

4) Wǒ māma bú_____ dìdi _____ diànnǎo wán yóuxì.
    我 妈妈 不_____ 弟弟 _____ 电脑 玩 游戏。

5) Wǒ _____ tā shì wǒmen dàxué de lǎoshī, kěshì wǒ bú _____ tā.
    我 _____ 他 是 我们 大学 的 老师, 可是 我 不 _____ 他。

3. Complete the following sentences in Chinese.

1) Chinese money is called _____
2) American money is called _____
3) English money is called _____

4) Russian money is called _____

5) European money is called _____

4. Translate the following sentences into Chinese.

1) I would like to change US dollars.

2) How much money would you like to change?

3) I would like to change $500.

4) How much RMB does £1 convert to today?

5) One pound converts to RMB ¥ 9.5.

5. Listening Comprehension

Circle the correct answer according to the phrases you hear.

1) a. ¥ 200   b. ¥ 100   c. ¥ 300

2) a. ¥ 120   b. ¥ 220   c. ¥ 210

3) a. ¥ 5.00   b. ¥ 5.50   c. ¥ 0.50

4) a. ¥ 6.49   b. ¥ 64.90   c. ¥ 69.40

5) a. ¥ 7.80   b. ¥ 0.78   c. ¥ 78.00

6) a. ¥ 2.99   b. ¥ 29.90   c. ¥ 299

7) a. ¥ 0.5   b. ¥ 0.05   c. ¥ 5.00

8) a. ¥ 39.99   b. ¥ 33.99   c. ¥ 3.99

6. Classroom Activities

Role play: You have just arrived in Beijing. You would like to change some foreign currency into RMB. Find out what the exchange rates are, and decide whether to change now or later.

7. Learning Chinese Characters

元									
角									
分									
钱									

Lesson 15 Shopping

Mǎi dōngxi

买东西

 Key sentences

1.	你去哪儿?	Nǐ qù nǎr?
2.	你想买什么?	Nǐ xiǎng mǎi shénme?
3.	这本词典多少钱?	Zhè běn cídiǎn duōshao qián?
4.	苹果怎么卖?	Píngguǒ zěnme mài?
5.	您要什么?	Nín yào shénme?

 **New words**

1.	书店	shūdiàn	n	*bookshop*
2.	超市	chāoshì	n	*supermarket*
3.	本	běn	m.w	*for books*
4.	词典	cídiǎn	n	*dictionary*
5.	张	zhāng	m.w	*for flat objects*
6.	地图	dìtú	n	*map*
7.	一些	yìxiē	adv	*a number of, some, a few*
8.	些	xiē	m.w	*for a small amount*
9.	水果	shuǐguǒ	n	*fruit*
10.	游览图	yóulǎntú	n	*tourist map*
11.	游览	yóulǎn	v	*go sight-seeing, tour, visit*

12.	拼音	pīnyīn	n	*Chinese Romanisation*
13.	但是	dànshì	conj	*but*
14.	英文	Yīngwén	n	*English (language or writing)*
15.	多少钱	duōshao qián	q.w	*how much (money)?*
16.	汉英词典	Hàn-Yīng cídiǎn	n	*Chinese-English dictionary*
17.	信用卡	xìnyòngkǎ	n	*credit card*
18.	没问题	méi wèntí	i.e	*no problem*
19.	问题	wèntí	n	*problem, question, issue*
20.	苹果	píngguǒ	n	*apple*
21.	卖	mài	v	*sell*
22.	斤	jīn	m.v	*Chinese unit of weight (0.5 kg)*
23.	西瓜	xīguā	n	*watermelon*
24.	一共	yígòng	adv	*altogether*

Dialogues

(1)

(Talking about going to shops)

A: Nǐ qù nǎr ?
你 去 哪儿?

Where are you going?

B: Wǒ qù shūdiàn hé chāoshì.
我 去 书 店 和 超 市。

I am going to the bookshop and supermarket.

A: Nǐ xiǎng mǎi shénme?
你 想 买 什 么?

What do you want to buy?

B: Wǒ xiǎng mǎi yì běn cídiǎn,
我 想 买一 本 词典,

yì zhāng dìtú hé yìxiē shuǐguǒ.
一 张 地 图 和一些 水 果。

I'd like to buy a dictionary, a map and some fruit.

(2)

(Asking prices)

A: Nín xiǎng mǎi shénme?
您 想 买 什么?

What would you like to buy?

B: Wǒ xiǎng mǎi dìtú.
我 想 买 地图。

I'd like to buy a map.

A: Shénme dìtú?
什 么 地图?

What kind of map?

B: Běijīng yóulǎntú. Yǒu pīnyīn
北京 游览图。有 拼音

de ma?
的 吗?

A Beijing tourist map. Is there a map with pinyin?

A: Méiyǒu, dànshì wǒmen yǒu
没 有,但是 我们 有

Yīngwén de.
英 文 的。

No, but we have English ones.

B: Wǒ yào yì zhāng Yīngwén de ba.
我 要 一 张 英 文 的 吧。

Duōshao qián?
多 少 钱?

I'd like one. How much is it?

A: Shí'èr kuài.
十 二 块。

¥12.

(3)

(Discussing payment methods)

A: Qǐngwèn, zhè běn Hàn-Yīng
请 问,这 本 汉英

cídiǎn duōshao qián?
词典 多 少 钱?

Excuse me, how much is this Chinese-English dictionary?

B: Èrbǎi bāshíliù kuài. Nín yào ma?
二百 八 十六 块。您 要 吗?

¥286. Would you like one?

A: Wǒ yào yì běn. Yòng xìnyòng-
我 要 一 本。 用 信 用

kǎ xíng bù xíng?
卡 行 不 行?

Yes. Can I use a credit card?

B: Méi wèntí.
没 问题。

No problem.

(4)

(Asking prices)

A: Qǐngwèn, píngguǒ zěnme mài?
请 问, 苹果 怎么 卖?

Excuse me, how much are the apples?

B: Qī kuài qián yì jīn.
七 块 钱 一 斤。

¥7 per jin.

A: Xīguā ne?
西 瓜 呢?

How about the watermelons?

B: Bā máo wǔ yì jīn. Nín yào
八 毛 五 一 斤。您 要

shénme?
什 么?

¥0.85 per jin. What would you like?

A: Wǒ yào sì gè píngguǒ hé
我 要 四 个 苹果 和

yí gè xīguā.
一个 西瓜。

I'd like four apples and one watermelon.

B: Yígòng èrshí'èr kuài.
一 共 二十二 块。

That's ¥22 altogether.

A: Xièxie !
谢谢!

Thanks.

Language Points

1. Asking for a price

There are two ways to ask the price of something.

1) Item + 多少钱 duōshao qián ?

    How much is it? (literally: How much money?)

2) Item + 怎么卖 zěnme mài ?

    How much is it? (literally: How to sell?)

For example:

Zhè běn cídiǎn duōshao qián?

1) 这 本 词典 多 少 钱?　　　　　　*How much is this dictionary?*

Píngguǒ zěnme mài?

2) 苹 果 怎么 卖?　　　　　　　　　*How much are the apples?*

2. 多少钱 duōshao qián

When asking the price of something, you must put 钱 qián after 多少 duōshao, i.e. 'how much' as 多少 duōshao by itself only means the quantity.

3. The particle 的 de is used after an adjective, a noun phrase or a verb phrase to form a structure in which the 的 de refers to a person or thing in the context. For example:

Zhè ge shūdiàn de shū hěn duō, yǒu

1) 这 个 书 店 的 书 很 多，有　　　　*This bookshop has many books.*

Zhōngwén de, Yīngwén de hé Fǎwén de.

　　中 文 的、英 文 的 和 法 文 的。　*Chinese ones, English ones and French ones.*

Wǒ xiǎng mǎi dìtú, yǒu Yīngwén de ma?

2) 我 想 买 地图，有 英 文 的 吗?　　*I would like to buy a map. Do you have English ones?*

4. 这 zhè，那 nà，哪 nǎ **combined with** 个 gè，些 xiē，儿 ér，里 lǐ

1) 个 gè is a non-specific measure word indicating individual (singular).

2) 些 xiē means 'a few, little, bit, some (plural)'.

3) 儿 ér/ 里 lǐ: Both are suffixes for places, retroflex endings.

Table 17. Combinations with 这 zhè，那 nà，哪 nǎ

	这 zhè		那 nà		哪 nǎ	
个 gè	这个 zhè ge	*this one*	那个 nà ge	*that one*	哪个 nǎ ge	*which one*
些 xiē	这些 zhèxiē	*these*	那些 nàxiē	*those*	哪些 nǎxiē	*which*

| 儿 ér | 这儿 zhèr | *here* | 那儿 nàr | *there* | 哪儿 nǎr | *where* |
| 里 lǐ | 这里 zhèlǐ | *here* | 那里 nàlǐ | *there* | 哪里 nǎlǐ | *where* |

Exercises

1. Match the following phrases if they are synonymous.

1) 超市 chāoshì   a. 多少钱 duōshao qián

2) 没问题 méi wèntí   b. 西瓜 xīguā

3) 怎么卖 zěnme mài   c. 游览图 yóulǎntú

4) 水果 shuǐguǒ   d. 行 / 可以 xíng/kěyǐ

5) 地图 dìtú   e. 商店 shāngdiàn

2. Fill in the blanks with measure words.

Zhè _____ cídiǎn hěn hǎo, dànshì hěn guì.

1) 这 _____ 词典 很 好，但是 很 贵。

Wǒ yǒu liǎng _____ Shànghǎi dìtú.

2) 我 有 两 _____ 上 海 地图。

Nà _____ chāoshì hěn dà.

3) 那 _____ 超 市 很 大。

Wǒ xiǎng qù yínháng huàn _____ qián.

4) 我 想 去 银 行 换_____ 钱。

Fāng lǎoshī jiā yǒu sì _____ rén.

5) 方 老 师 家 有 四 _____ 人。

3. Translate the following sentences into English.

Zhèlǐ yǒu liǎng běn Hànyǔ cídiǎn, nǎ běn shì nǐ de?

1) 这里有 两 本 汉语词典，哪本是你的?

Zhè ge shūdiàn de wàiyǔ shū hěn duō, yǒu Yīngwén de, Fǎwén de, Déwén de.

2) 这 个 书店 的外语书 很多,有 英 文 的、法 文 的、德 文 的。

Nǐ xiǎng mǎi píngguǒ ma? Zhè ge shāngdiàn de shuǐguǒ hěn hǎo.

3) 你 想 买 苹果 吗? 这 个 商 店 的 水果很 好。

Fùjìn yǒu liǎng gè chāoshì, yí gè dà de, yí gè xiǎo de, nǐ xiǎng qù nǎ ge?

4) 附近有 两 个超市,一个大的,一个小的,你 想 去哪个?

Nà ge dà shāngdiàn de dōngxi hěn duō, yǒu xiē dōngxi hěn hǎo.

5) 那个大 商 店 的 东西很多, 有 些 东 西 很 好。

4. Translate the following sentences into Chinese.

1) How much is this dictionary?

2) Can I use a credit card?

3) Could you tell me where I can find a bookshop?

4) Are there many supermarkets in Beijing?

5) I like to do my shopping on Sundays.

5. Listening Comprehension

Choose the correct answer according to the short dialogues.

1) a. shop   b. supermarket   c. bookshop

2) a. map of China   b. map of Beijing   c. map of Shanghai

3) a. ¥ 5.90   b. ¥ 8.50   c. ¥ 9.50

4) a. US dollar   b. RMB   c. euro

5) a. ¥ 128.60   b. ¥ 162.80   c. ¥ 126.80

6. Classroom Activities

Role play:

1) You are in a small bookshop. You would like to buy a map of Shanghai and a map of China, both in pinyin. Find out if they are available in the store and their prices. You would also like to a buy an English-Chinese dictionary.

2) You are in a food market. You would like to buy fruit, but you don't know the names for some fruits. Ask about the names of the fruits and the prices, then make a decision about what fruit and how much you want to buy.

7. Learning Chinese Characters

商									
店									
词									
典									

 **Clothes**

Fúzhuāng
服 装

 Key sentences

1.	能试试吗？	Néng shìshi ma?
2.	有别的颜色吗？	Yǒu bié de yánsè ma?
3.	这种裤子有黑色的吗？	Zhè zhǒng kùzi yǒu hēisè de ma?
4.	你要什么颜色的？	Nǐ yào shénme yánsè de?
5.	您穿多大号的？	Nín chuān duō dà hào de?

 New words

1.	件	jiàn	m.w	*for clothes*
2.	大衣	dàyī	n	*overcoat*
3.	试	shì	v	*try, test*
4.	蓝（色）	lán(sè)	adj	*blue (colour)*
5.	别的	bié de	adj/pron	*other*
6.	颜色	yánsè	n	*colour*
7.	红（色）	hóng(sè)	adj	*red (colour)*
8.	黑（色）	hēi(sè)	adj	*black (colour)*
9.	种	zhǒng	m.w	*type, kind, sort*
10.	裤子	kùzi	n	*trousers*
11.	条	tiáo	m.w	*for long thin things*
12.	长	cháng	adj	*long*

13.	短	duǎn	adj	*short*
14.	正	zhèng	adv	*just, exactly*
15.	合适	héshì	adj	*fit, suitable*
16.	样子	yàngzi	n	*style*
17.	衬衫	chènshān	n	*shirt*
18.	中号	zhōnghào	adj	*medium size*
19.	白（色）	bái(sè)	adj	*white (colour)*
20.	双	shuāng	m.w	*for shoes, socks, chopsticks*
21.	鞋	xié	n	*shoes*
22.	穿	chuān	v	*wear*
23.	多大号	duō dà hào	q.w	*what size?*
24.	有点儿	yǒudiǎnr	adv	*a bit, somewhat*

Dialogues

(1)

(Asking about clothing colours)

A: Qǐngwèn, nà jiàn dàyī
   请 问，那 件 大衣

   duōshao qián?
   多 少 钱？

Excuse me, how much is that overcoat?

B: Qībǎi jiǔshíjiǔ kuài.
   七 百 九 十 九 块。

¥799.

A: Néng shìshi ma?
   能 试试 吗？

Can I try it on, please?

B: Kěyǐ.
   可以。

Of course you can.

A: Wǒ bú tài xǐhuan lánsè de.
我 不太喜欢 蓝色的。

I don't like the blue one.

Yǒu bié de yánsè ma?
有 别 的 颜色吗？

Do you have any other colours?

B: Yǒu hóng de hé hēi de.
有 红 的 和黑 的。

Yes, we have red ones and black ones.

A: Wǒ yào yí jiàn hēi de ba.
我 要一件黑的吧。

OK, I'd like a black one.

(2)

(Talking about colours and sizes)

A: Qǐngwèn, zhè zhǒng kùzi yǒu
请 问，这 种 裤子有

hēisè de ma?
黑色的吗？

Excuse me, do you have these trousers in black?

B: Yǒu. nín shìshi zhè tiáo.
有。您 试试 这条。

Yes, we do. You can try these on.

A: Tài hǎo le, bù cháng bù duǎn,
太 好 了，不长 不 短，

zhèng héshì, wǒ yào yì tiáo.
正 合适，我要一条。

Great! They're neither too long nor too short. They fit perfectly! I'd like to buy them.

(3)

(Asking about clothing sizes)

A: Qǐngwèn, zhè zhǒng chènshān
请 问，这 种 衬 衫

yǒu zhōnghào de ma?
有 中 号 的吗？

Excuse me, do you have this shirt in medium?

B: Yǒu. Nǐ yào shénme yánsè de?
有。你 要 什 么 颜 色 的？

Yes, we do. What colour would you like?

A: Wǒ yào yí jiàn bái de hé yí jiàn   *I'd like a white one and a yellow one.*
我 要 一件 白 的 和 一件

huáng de.
黄 的。

(4)

(Talking about shoe sizes)

A: Xiǎojiě, wǒ xiǎng kànkan nà   *Miss, I'd like to look at that pair of*
小 姐，我 想 看看 那   *shoes.*

shuāng xié.
双 鞋。

B: Nín chuān duō dà hào de?   *What size do you wear?*
您 穿 多 大 号 的？

A: Sìshí'èr hào de.   *Size 42.*
四十二 号 的。

B: Shìshi zhè shuāng ba.   *Try this pair please.*
试试 这 双 吧。

A: Yǒudiǎnr dà. Yǒu méiyǒu   *They are a bit big. Do you have any*
有 点儿 大。有 没 有   *smaller ones?*

xiǎo yìdiǎnr de?
小 一点儿 的？

B: Duìbuqǐ, méiyǒu. Zhè shì   *Sorry, we don't. They are the the*
对 不 起，没有。这 是   *smallest size.*

zuì xiǎo hào.

最 小 号。

Language Points

1. Colours in Chinese

In Chinese, commonly used colours are monosyllabic words that normally cannot be used on their own. 色 sè or 的 de must be added after the colour. For example:

Nǐ xǐhuan shénme yánsè?

1)   A: 你 喜欢 什么 颜色?   *What colour do you like?*

Wǒ xǐhuan hóngsè.

B: 我 喜欢 红色。   *I like red.*

Wǒ yǒu liǎng jiàn máoyī,

2)   我 有 两 件 毛衣,   *I have two sweaters, one is black, one is white.*

yí jiàn hēi de, yí jiàn bái de.

一件 黑的,一件 白的。

2. 一点儿 yìdiǎnr means 'a little' or 'a bit'. It can be used to modify or confine people or things by indicating a small and uncertain number. For example:

Wǒ huì shuō yìdiǎnr Hànyǔ.

1)   我 会 说 一点儿 汉语。   *I can speak a little Chinese.*

Wǒ xiǎng yào yìdiǎnr táng.

2)   我 想 要一点儿糖。   *I would like a little bit of sugar.*

3. 有点儿 yǒudiǎnr means 'a little' or 'a bit'. It also means 'somewhat' or 'rather'. It is often related to feelings, emotions and mood. It is always used with adjectives or verbs that have negative or derogatory meanings. For example:

Wǒ yǒudiǎnr lèi.

1)   我 有点儿累。   *I am a little bit tired.*

Tā jīntiān yǒudiǎnr bù gāoxìng.

2)   她 今天 有点儿 不 高 兴。   *She is somewhat unhappy today.*

Zhè běn shū yǒudiǎnr guì.

3)   这 本 书 有点儿 贵。   *This book is a bit expensive.*

4. 不 bù + adj. A + 不 bù + adj. B: This structure means 'not too … not too …'. Adjective A and adjective B in this structure are normally opposites. For example:

1) 不 长 不 短
bù cháng bù duǎn

not too long, not too short

2) 不 大 不 小
bú dà bù xiǎo

not too big, not too small

5. The adverb 最 zuì indicates a very high degree

最 zuì means 'the most' or '-est'. It modifies adjectives, certain verbs and phrases and can be used in comparisons to show the superlative degree among a group of people or things of the same kind. For example:

1) 这 是 英 国 最 有 名 的 大 学。
Zhè shì Yīngguó zuì yǒumíng de dàxué.

This is the most famous university in the UK.

2) 那 是 伦 敦 最 大 的 饭 店。
Nà shì Lúndūn zuì dà de fàndiàn.

That is the biggest hotel in London.

Table 18. The superlative word 最 zuì

最好 zuì hǎo	*best*	最不好 zuì bù hǎo	*worst*
最大 zuì dà	*biggest*	最小 zuì xiǎo	*smallest*
最多 zuì duō	*most*	最少 zuì shǎo	*least*
最贵 zuì guì	*most expensive*	最便宜 zuì piányi	*cheapest*

Exercises

1. Fill in the blanks with measure words.

1) 请 问, 这 _____ 蓝 裤 子 多 少 钱?
Qǐngwèn, zhè _____ lán kùzi duōshao qián?

2) 我 有 两 _____ 白 衬 衫。
Wǒ yǒu liǎng _____ bái chènshān.

3) 那 _____ 大 衣 太 贵 了!
Nà _____ dàyī tài guì le!

4) 我 想 去 鞋 店 买 一 _____ 鞋。
Wǒ xiǎng qù xiédiàn mǎi yì _____ xié.

5) 我 家 附 近 有 一 _____ 鞋 店。
Wǒ jiā fùjìn yǒu yì _____ xié diàn.

2. Use lines to join the suitable phrases together.

1) 这是 zhè shì

2) 这双鞋 zhè shuāng xié

3) 这条裤子 zhè tiáo kùzi

4) 这本书 zhè běn shū

5) 这钱正合适 zhè qián zhèng héshì

a. 有点儿贵 yǒudiǎnr guì

b. 不多不少 bù duō bù shǎo

c. 最大号 zuì dà hào

d. 不长不短 bù cháng bù duǎn

e. 不大不小 bú dà bù xiǎo

3. Translate the following sentences into English.

1) Wǒ xiǎng mǎi gěi wǒ mèimei yí jiàn hóng máoyī.
我 想 买给 我 妹妹 一件 红 毛衣。

2) Qǐngwèn. nà jiàn lán chènshān duōshao qián?
请 问，那件 蓝 衬 衫 多少 钱?

3) Zhè zhǒng xié yǒu sānshíbā hào de ma?
这 种 鞋有 三十八 号 的 吗?

4) Zhè zhǒng shàngyī yǒu báisè de ma?
这 种 上衣 有 白色 的 吗?

5) Zhè tiáo kùzi tài cháng le，yǒu méiyǒu duǎn yìdiǎnr de?
这 条 裤子 太 长 了，有 没 有 短 一点儿 的?

4. Translate the following sentences into Chinese.

1) What colour do you like most?

2) What size are you?

3) This overcoat is very beautiful.

4) Do you like this skirt?

5) Can I try on this pair of shoes for a minute?

5. Listening Comprehension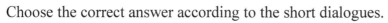

Choose the correct answer according to the short dialogues.

1) a. 40   b. 42   c. 44

2) a. Large   b. Medium   c. Small

3) a. too big   b. too small   c. neither too big, nor small

4) a. too long   b. too short   c. neither too long, nor too short

5) a. blue   b. black   c. white

6. Classroom Activities

Role play: You are in a department store. You would like to buy a sweater, a pair of trousers and shoes. Talk to the shop assistant, choose the right colours, ask for help and try them on.

7. Learning Chinese Characters

红									
白									
蓝									
黑									

Lesson 17 Reservations

Yùdìng
预订

Key sentences

1. 我想订房间。 　　　　　　　　Wǒ xiǎng dìng fángjiān.
2. 您想订什么样的房间？ 　　　　Nín xiǎng dìng shénmeyàng de fángjiān?
3. 您打算什么时候住？住多久？ 　Nín dǎsuan shénme shíhou zhù? Zhù duō jiǔ?
4. 你要去哪儿？ 　　　　　　　　Nǐ yào qù nǎr?
5. 我计划下月去伦敦。 　　　　　Wǒ jìhuà xià yuè qù Lúndūn.

New words

1. 订　　　　dìng　　　　v　　　book (seats, tickets)
2. 什么样　　shénmeyàng　q.w　　what kind?
3. 单人间　　dānrénjiān　　n　　　single room
4. 打算　　　dǎsuan　　　v/n　　plan, intend
5. 多久　　　duō jiǔ　　　q.w　　how long (time)?
6. 饭馆　　　fànguǎn　　　n　　　restaurant
7. 桌　　　　zhuō　　　　n/m.w　table, desk
8. 火车　　　huǒchē　　　n　　　train
9. 票　　　　piào　　　　n　　　ticket
10. 应该　　　yīnggāi　　　m.v　　should

11.	网上	wǎngshàng	n	*online*
12.	预订	yùdìng	v/n	*reservation, book ahead*
13.	为什么	wèishénme	q.w	*why*
14.	又…… 又……	yòu…yòu…	conj	*both... and...*
15.	方便	fāngbiàn	v/n	*convenient, make things easy*
16.	便宜	piányi	adj	*cheap*
17.	还	hái	adv	*as well, in addition, also*
18.	节省	jiéshěng	v	*save*
19.	机票	jīpiào	n	*plane ticket*
20.	计划	jìhuà	v/n	*plan*
21.	网站	wǎngzhàn	n	*website*
22.	快	kuài	adj	*fast, quick, rapid*
23.	京川饭馆	Jīngchuān Fànguǎn	p.n	*name of a restaurant*

 ## Dialogues

(1)

(Booking a hotel)

A: Wèi, shì Běijīng Fàndiàn ma?
喂，是 北 京 饭 店 吗？

    Wǒ xiǎng dìng fángjiān.
我 想 订 房 间。

Hello, is this Beijing Hotel?

I'd like to book a room.

B: Nín xiǎng dìng shénmeyàng
您 想 订 什 么 样

de fángjiān?
的 房 间？

What kind of room would you like to book?

A: Wǒ xiǎng dìng yí gè dānrénjiān.
我 想 订 一 个 单 人 间。

I'd like to book a single room.

B: Nín dǎsuan shénme shíhou zhù?   *When would you like to stay?*
您 打算 什么 时候 住？   *And for how long?*

Zhù duō jiǔ?
住 多 久？

A: Shí yuè liù hào dào bā hào.   *6-8 October, three days in total.*
十 月 六 号 到 八 号，

zhù sān tiān.
住 三 天。

(2)

(Booking a restaurant)

A: Wèi, shì Jīngchuān Fànguǎn   *Hello, is this Jingchuan restaurant?*
喂，是 京 川 饭 馆   *I would like to book a table.*

ma? Wǒ xiǎng dìng zhuō.
吗？我 想 订 桌。

B: Shì a. Nǐmen jǐ wèi? Shénme   *Yes, how many people and when?*
是 啊。你们 几位？什 么

shíjiān?
时 间？

A: Sì wèi, xīngqīliù wǎnshang   *Four people, 7:00 pm on Saturday.*
四位，星 期六 晚 上

qī diǎn.
七 点。

(3)

(Talking about booking train tickets online)

A: Xià zhōu wǒ yào qù Shànghǎi.   *I am going to Shanghai next week.*
下 周 我 要 去 上 海，

xiǎng mǎi huǒchēpiào.   *I need to buy train tickets.*
想 买 火 车 票。

B: Nǐ yīnggāi zài wǎngshàng yùdìng.   *You should book online.*
你 应 该 在 网 上 预订。

A: Wèishénme?　　　　　　　　Why?
为　什么？

B: Wǎngshàng dìngpiào yòu fāng-　　Booking online is both easy and cheap.
网　上　订票　又　方　　　It also saves time.

biàn yòu piányi, hái jiéshěng shíjiān.
便　又　便宜，还　节　省　时　间。

(4)

(Talking about booking airline tickets online)

A: Wǒ xiǎng zài wǎngshàng　　　*I'd like to book plane tickets online.*
我　想　在　网　上

dìng jīpiào.
订　机票。

B: Nǐ yào qù nǎr?　　　　　　*Where are you going?*
你　要　去　哪儿？

A: Wǒ jìhuà xià yuè qù Lúndūn.　*I plan to go to London next month.*
我　计　划　下　月　去　伦　敦。

B: Nǐ kànkan zhè ge wǎngzhàn ba,　*Have a look at this website.*
你　看看　这　个　网　站　吧，

wǒ cháng yòng, yòu kuài yòu hǎo.　*I often use it. It's both quick and good.*
我　常　用，又　快　又　好。

Language Points

1. 订 dìng has several meanings. In this lesson it is used as a verb meaning 'to book'. It also has other meanings such as 'draw up a plan, fix a date'.

Table 19. Combinations using 订 dìng

Keyword	Noun		English
订 dìng+ to book	房间 fángjiān	room	*make room reservations*
	桌 zhuō	table	*reserve a table (in a restaurant)*
	饭店 fàndiàn	hotel	*make hotel reservations*
	票 piào	tickets	*book tickets*
	计划 jìhuà	plan	*draw up a plan*
	日期 rìqī	date	*fix or agree on a date*

2. 多久 duō jiǔ is a fixed phrase. Its equivalent is 多长时间 duō cháng shíjiān. It is often used in written language, but is also used in formal conversation.

3. 又 yòu······ 又 yòu······ means 'both …and…'. Normally it is used to indicate coordinate relations of adjectives.
For example:

Wǒ dìdi yòu gāo yòu dà.
1) 我 弟弟 又 高 又 大。
My younger brother is tall and big.

Nà ge píngguǒ yòu dà yòu hóng.
2) 那个 苹果 又 大 又 红。
The apple is big and red.

4. 打算 dǎsuan and 计划 jìhuà: Both mean 'to plan; intend…' but 打算 dǎsuan is usually used for speaking while 计划 jìhuà is more formal. For example:

Wǒ dǎsuan zhè zhōumò qù
1) 我 打算 这 周末 去
kàn péngyou.
看 朋友。
I intend to see my friends this weekend.

Gōngsī jìhuà míngnián ràng wǒ
2) 公司 计划 明 年 让 我
qù Běijīng gōngzuò.
去北京 工 作。
My company plans to send me to work in Beijing next year.

5. The keyword 馆 guǎn means 'public building' or is a term for certain service establishments, and it can be used to form new vocabulary.

Table 20. Combinations using 馆 guǎn

Noun		Keyword	English
饭 fàn	*meal*		*restaurant*
茶 chá	*tea*		*teahouse*
酒 jiǔ	*alcohol*	+ 馆 guǎn	*bar, pub*
咖啡 kāfēi	*coffee*		*café*
大使 dàshǐ	*ambassador*		*embassy*

Exercises

1. Match the English with the Chinese.

1) book train tickets   a. 订计划 dìng jìhuà

2) book plane tickets   b. 订日期 dìng rìqī

3) draw up a plan   c. 订火车票 dìng huǒchēpiào

4) fix a date   d. 订房间 dìng fángjiān

5) book rooms   e. 订飞机票 dìng fēijīpiào

2. Fill in the blanks with the words given; each word can only be used once.

> a. 为什么 wèishénme   b. 什么样 shénmeyàng   c. 怎么样 zěnmeyàng
> d. 因为 yīnwèi   e. 多久 duō jiǔ

Nǐ dǎsuan zài Běijīng zhù _____?

1) 你 打 算 在 北 京 住 _____？

Nǐ _____ yào zài wǎngshàng dìngpiào?

2) 你 _____ 要 在 网 上 订 票？

_____ zài wǎngshàng dìng piào hěn piányi.

3) _____ 在 网 上 订 票 很 便 宜。

Nǐ xiǎng dìng _____ de fángjiān?

4) 你 想 订 _____ 的 房 间？

Zhè ge fàndiàn _____?

5) 这 个 饭 店 _____？

3. Translate the following sentences into English.

Wǒmen de xuéxiào yòu dà yòu piàoliang.

1) 我 们 的 学 校 又 大 又 漂 亮。

Wǒ xiǎng yùdìng sì yuè èr rì qù Shànghǎi de huǒchēpiào.

2) 我 想 预 订 四 月 二 日 去 上 海 的 火 车 票。

3) *Zài wǎngshàng dìng piào yòu fāngbiàn yòu piányi.*

在 网 上 订 票 又 方 便 又 便 宜。

4) *Jīnnián wǔ yuè wǒ dǎsuan qù Déguó kàn wǒ de péngyou.*

今 年 五 月 我 打 算 去 德 国 看 我 的 朋 友。

5) *Cóng Lúndūn dào Bālí de huǒchē yòu kuài yòu fāngbiàn.*

从 伦 敦 到 巴 黎 的 火 车 又 快 又 方 便。

4. Translate the following sentences into Chinese.

1) Why do you like to book tickets online?

2) What do you plan to do for Christmas this year?

3) Where are you going next month?

4) How long will you stay in Shanghai?

5) When do you plan to go to Hong Kong?

5. Listening Comprehension 🎧

Mark true (T) or false (F) according to the short dialogues.

1) She will go home for Chinese New Year.   (   )

2) She doesn't want to book tickets online.   (   )

3) He wants to book a table in a restaurant.   (   )

4) She wants to book a hotel.   (   )

5) He will go to the USA this May.   (   )

6. Classroom Activities

Role play: You and your friend are planning to go to China next year. Discuss with him/her how to book tickets and a hotel and make an itinerary.

7. Learning Chinese Characters

订									
火									
车									
票									

Lesson 18 Review & Test

Fùxí yǔ cèyàn
复习与测验

Part 1 Review for Lessons 13-17

 **Key patterns**

1. Sentence patterns:

Patterns	Examples
Subject + Modal Verb + V + O	Nǐ huì shuō Hànyǔ ma? 你 会 说 汉语 吗?
让 + Someone + Verb	Ràng wǒ xiǎngxiang. 让 我 想 想。
Item + 多少钱 duōshao qián ?	Zhè běn cídiǎn duōshao qián? 这 本 词典 多少 钱?
Item + 怎么卖 zěnme mài ?	Píngguǒ zěnme mài? 苹 果 怎么 卖?
Statement, + 行不行 xíng bù xíng?	Yòng xìnyòngkǎ, xíng bù xíng? 用 信用卡, 行 不 行?
Reduplication Verbs: Verb + Verb	Wǒ xiǎng kànkan nà shuāng xié. 我 想 看看 那 双 鞋。
Verb + 一 yí **+ Verb = Verb + 一下** yíxià	Wǒ xiǎng shì yi shì/shì yíxià. 我 想 试一试/试一下。
一点儿 yìdiǎnr **+ Noun**	Wǒ huì shuō yìdiǎnr Fàyǔ. 我 会 说 一点儿 法语。
有点儿 yǒudiǎnr **+ Adjective**	Zhè běn shū yǒudiǎnr guì. 这 本 书 有 点儿 贵。
不 bù **+ Adj. A + 不** bù **+ Adj. B**	Zhè tiáo kùzi bù cháng bù duǎn, zhèng héshì. 这 条 裤子 不 长 不 短, 正 合适。
最 zuì **+ Adjective**	Nà běn Hàn-Yīng cídiǎn zuì hǎo. 那 本 汉 英 词典 最好。
又 yòu **+ Adj. 又** yòu **+ Adj.**	Wǎngshàng dìng piào yòu fāngbiàn yòu piányi. 网 上 订 票 又 方便 又 便宜。

2. Frequently used measure words

MW	Meaning	Examples
个 gè	*a general measure word*	一个人 yí gè rén 两个商店 liǎng gè shāngdiàn 三个苹果 sān gè píngguǒ
位 wèi	*for people (polite)*	一位先生 yí wèi xiānsheng 两位女士 liǎng wèi nǚshì 三位老师 sān wèi lǎoshī
本 běn	*for books or book-like items*	一本书 yì běn shū 两本词典 liǎng běn cídiǎn 三本杂志 sān běn zázhì
张 zhāng	*for flat items*	一张纸 yì zhāng zhǐ 两张票 liǎng zhāng piào 三张地图 sān zhāng dìtú
支 zhī	*for pens or pen-like objects*	一支笔 yì zhī bǐ 两支铅笔 liǎng zhī qiānbǐ 三支烟 sān zhī yān
只 zhī	*for animals and poultry*	一只鸡 yì zhī jī 两只鸭 liǎng zhī yā 三只猫 sān zhī māo
条 tiáo	*for long, narrow, thin objects*	一条裤子 yì tiáo kùzi 两条裙子 liǎng tiáo qúnzi 三条鱼 sān tiáo yú
件 jiàn	*for clothes (top)*	一件上衣 yí jiàn shàngyī 两件衬衫 liǎng jiàn chènshān 三件毛衣 sān jiàn máoyī
辆 liàng	*for vehicles*	一辆公共汽车 yí liàng gōnggòng qìchē 两辆自行车 liǎng liàng zìxíngchē
杯 bēi	*cup of, glass of*	一杯茶 yì bēi chá 两杯咖啡 liǎng bēi kāfēi 三杯啤酒 sān bēi píjiǔ
瓶 píng	*bottle of*	一瓶牛奶 yì píng niúnǎi 两瓶可乐 liǎng píng kělè 三瓶水 sān píng shuǐ

块 kuài	*piece of, lump of*	一块巧克力 yí kuài qiǎokelì 两块冰 liǎng kuài bīng 三块蛋糕 sān kuài dàngāo
碗 wǎn	*bowl of*	一碗米饭 yì wǎn mǐfàn 两碗茶 liǎng wǎn chá 三碗面条 sān wǎn miàntiáo

Part 2 Test for Lessons 13-18

1. Reading Comprehension

Text

Luójié měi tiān dōu hěn máng, zǎoshang tā xǐhuan qù pǎobù,
罗 杰 每 天 都 很 忙， 早 上 他 喜 欢 去 跑 步，
měi xīngqī'èr hé xīngqīsì tā yǒu Hànyǔ kè, xīngqīsān tā xǐhuan gēn
每 星 期 二 和 星 期 四 他 有 汉 语 课，星 期 三 他 喜 欢 跟
péngyou yìqǐ qù dǎ wǎngqiú, xīngqīwǔ tā chángcháng qù yóuyǒng.
朋 友 一 起 去 打 网 球，星 期 五 他 常 常 去 游 泳。

Jīnnián shí'èr yuè, Luójié dǎsuan huí Lúndūn gēn jiārén yìqǐ guò
今 年 十 二 月， 罗 杰 打 算 回 伦 敦 跟 家 人 一 起 过
Shèngdàn Jié, tā xiǎng gěi bàba mǎi yìshuāng xié, gěi māma mǎi
圣 诞 节，他 想 给 爸 爸 买 一 双 鞋，给 妈 妈 买
yí jiàn máoyī, dànshì gěi jiějie mǎi shénme ne, tā hái bù zhīdào.
一 件 毛 衣，但 是 给 姐 姐 买 什 么 呢，他 还 不 知 道。

Zhè ge zhōumò tā gěi jiějie Mǎlì dǎ diànhuà, wèn tā xiǎng yào
这 个 周 末 他 给 姐 姐 玛 丽 打 电 话， 问 她 想 要
shénme. Jiějie shuō, tā hěn xǐhuan Zhōngguó de zhēnsī chènshān, tā
什 么。姐 姐 说，她 很 喜 欢 中 国 的 真 丝 衬 衫，她
xiǎng yào yí jiàn hóngsè de. Luójié shuō, méi wèntí, yídìng gěi tā mǎi.
想 要 一 件 红 色 的。罗 杰 说，没 问 题，一 定 给 她 买。

Luójié dǎsuan zhè ge zhōumò shàngwǎng dìng jīpiào, yīnwèi
罗 杰 打 算 这 个 周 末 上 网 订 机 票，因 为
zài wǎngshàng dìng piào yòu fāngbiàn yòu piányi, tā dǎsuan xià
在 网 上 订 票 又 方 便 又 便 宜，他 打 算 下
xīngqītiān qù shāngdiàn mǎi dōngxi.
星 期 天 去 商 店 买 东 西。

(zìshù: èrbǎi yīshíliù)
（字数： 2 1 6 ）

(1) Read the short passage above. Decide if each of the following statements is True/False/Not mentioned by circling the correct option.

1) Roger likes all kind of sports.

    a. True   b. False   c. Not mentioned

2) Roger has two Chinese classes each week.

    a. True   b. False   c. Not mentioned

3) Roger's family lives in London.

    a. True   b. False   c. Not mentioned

4) Roger will go shopping this Sunday.

    a. True   b. False   c. Not mentioned

5) Roger wants to buy a pair of shoes for his mother.

    a. True   b. False   c. Not mentioned

(2) Read the text above again, and circle the correct answers to the questions according to the information in the passage.

1) Which sport does Roger often do?

    a. Tennis   b. Football   c. Basketball

2) What does Roger's sister want as a gift?

    a. A red jumper   b. A red blouse   c. A red skirt

3) Why does Roger want to book tickets online?

    a. It is cheap and good.

    b. It is fast and cheap.

    c. It is easy and cheap.

4) Why is Roger going to London in December?

    a. To see his parents

    b. To celebrate Christmas with family

    c. To visit friends

5) Why does Roger telephone his sister Mary at the weekend?

    a. To ask her what she wants for Christmas

    b. To say hello

    c. To tell her that he will go home for Christmas

2. Using Language

(1) Fill in the blanks with the words given; each word can only be used once.

| a. 踢 tī   b. 能 néng   c. 打 dǎ   d. 会 huì   e. 又 yòu……又 yòu…… |

1) Luójié _____ zuò Zhōngguó fàn le.
   罗杰_____做中国饭了。

2) Tā bú tài xǐhuan _____ lánqiú.
   他不太喜欢_____篮球。

3) Zhè ge píngguǒ _____ dà _____ hóng.
   这个苹果_____大_____红。

4) Zhōumò wǒ cháng gēn péngyou yìqǐ _____ zúqiú.
   周末我常跟朋友一起_____足球。

5) Zài Zhōngguó mǎi dōngxi bù _____ yòng wàibì.
   在中国买东西不_____用外币。

(2) Circle the correct sentence according to the English meaning.

1) What kind of room would you like to book?

   Nǐ xiǎng dìng shénmeyàng de fángjiān?
   a. 你想订什么样的房间？

   Nǐ xiǎng dìng fángjiān ma?
   b. 你想订房间吗？

   Shénmeyàng de fángjiān nǐ xiǎng dìng?
   c. 什么样的房间你想订？

2) How much RMB can I get for one British pound?

   Duōshao Rénmínbì huàn yì Yīngbàng?
   a. 多少人民币换一英镑？

   Yì Yīngbàng néng huàn duōshao Rénmínbì?
   b. 一英镑能换多少人民币？

   Yì Yīngbàng wǒ kěyǐ huàn Rénmínbì duōshao?
   c. 一英镑我可以换人民币多少？

3) This dictionary is a bit expensive.

   Zhè běn cídiǎn guì yíxiàr.
   a. 这本词典贵一下儿。

   Zhè běn cídiǎn yìdiǎnr guì.
   b. 这本词典一点儿贵。

   Zhè běn cídiǎn yǒudiǎnr guì.
   c. 这本词典有点儿贵。

4) He can speak a little French.

   Tā huì shuō yǒudiǎnr Fǎyǔ.
   a. 他会说有点儿法语。

Tā huì shuō yìdiǎnr Fǎyǔ.
b. 他 会 说 一点儿 法语。

Tā huì shuō yíxiàr Fǎyǔ.
c. 他 会 说 一下儿 法语。

5) This is the tallest building in London.

Zhè shì zuì gāo de lóu zài Lúndūn.
a. 这 是 最 高 的 楼 在 伦敦。

Zài lúndūn zhè shì zuì gāo de lóu.
b. 在 伦敦 这 是 最 高 的 楼。

Zhè shì Lúndūn zuì gāo de lóu.
c. 这 是 伦敦 最 高 的 楼。

(3) Make sentences by re-arranging the order of the words given.

bù duǎn / zhèng héshì / zhè tiáo / bù cháng / kùzi /.
1) a. 不短 / b. 正合适 / c. 这条 / d. 不长 / e. 裤子 /。

_____

dǎsuan / zhù / Shànghǎi / duō jiǔ / nǐ / zài /?
2) a. 打算 / b. 住 / c. 上海 / d. 多久 / e. 你 / f. 在 /?

_____

ràng / wǒmen gōngsī / Běijīng / gōngzuò / qù / wǒ /.
3) a. 让 / b. 我们 公司 / c. 北京 / d. 工作 / e. 去 / f. 我 /。

_____

shìshi / nà / shuāng / kěyǐ / xié / ma / wǒ /?
4) a. 试试 / b. 那 / c. 双 / d. 可以 / e. 鞋 / f. 吗 / g. 我 /?

_____

mǎi / hēisè / xiǎng / wǒ / de / máoyī / yí jiàn /.
5) a. 买 / b. 黑色 / c. 想 / d. 我 / e. 的 / f. 毛衣 / g. 一件 /。

_____

Lesson 19 Restaurants

Fànguǎn

饭 馆

Key sentences

1. 服务员，我们点菜。 Fúwùyuán, wǒmen diǎn cài.
2. 这儿有北京烤鸭吗？ Zhèr yǒu Běijīng kǎoyā ma?
3. 您想吃什么？ Nín xiǎng chī shénme?
4. 要炒饭还是要白饭？ Yào chǎofàn háishi yào báifàn?
5. 你们的菜真好吃。 Nǐmen de cài zhēn hǎochī.

New words

1.	坐	zuò	v	sit
2.	菜单	càidān	n	menu
3.	服务员	fúwùyuán	n	waiter/waitress
4.	点菜	diǎn cài	v-o	order dishes
5.	素菜	sùcài	n	vegetable dish
6.	对	duì	adj	correct
7.	素食者	sùshízhě	n	vegetarian
8.	鱼	yú	n	fish
9.	肉	ròu	n	meat
10.	豆腐	dòufu	n	bean curd, tofu
11.	或者	huòzhě	conj	or

12.	青菜	qīngcài	n	green vegetable
13.	鸡	jī	n	chicken
14.	猪肉	zhūròu	n	pork
15.	牛肉	niúròu	n	beef
16.	羊肉	yángròu	n	lamb
17.	只	zhī	m.w	for poultry, animal
18.	碗	wǎn	m.w/n	bowl of, bowl
19.	米饭	mǐfàn	n	cooked rice
20.	炒饭	chǎofàn	n	fried rice
21.	还是	háishi	conj	or (only used in questions)
22.	白饭	báifàn	n	plain rice
23.	马上	mǎshàng	adv	immediately, right now
24.	好吃	hǎochī	adj	delicious, tasty

 **Dialogues**

(1)

(Going into a restaurant)

A: Nín hǎo ! Jǐ wèi?   *Hello, how many of you are there?*
   您 好! 几位?

B: Sān wèi.   *Three.*
   三 位。

A: Qǐng zuò zhèr ba. Zhè shì   *Please sit here. This is the menu.*
   请 坐 这儿吧。这 是

   càidān.
   菜 单。

B: Xièxie.   *Thank you.*
   谢 谢。

(2)

(Ordering dishes)

A: Fúwùyuán, wǒmen diǎn cài.
服务员，我们 点菜。

Waiter, we'd like to order.

B: Hǎo, nín yào shénme cài?
好，您 要 什么 菜?

OK, what would you like to order?

A: Wǒmen yào sùcài.
我们 要 素菜。

We'd like vegetable dishes.

B: Zhǐ yào sùcài?
只 要 素菜?

Only vegetable dishes?

A: Duì, wǒmen dōu shì sùshízhě,
对，我们 都 是 素食者,

Yes, we are all vegetarians.

bù chī yú yě bù chī ròu.
不 吃 鱼 也 不 吃 肉。

We don't eat fish or meat.

B: Nà jiù yào dòufu huòzhě
那 就 要 豆腐 或 者

qīngcài ba.
青 菜 吧。

In that case, you can have either tofu or vegetables.

(3)

(Discussing the menu)

A: Nín hǎo! Xiǎng diǎn cài ma?
您 好! 想 点 菜 吗?

Hello, would you like to order?

B: Zhèr yǒu Běijīng kǎoyā ma?
这儿 有 北京 烤鸭 吗?

Do you have Beijing roast duck?

A: Yǒu. Jīyāyúròu wǒmen dōu yǒu.
有。鸡鸭鱼肉 我们 都 有。

Nín xiǎng chī shénme?
您 想 吃 什么?

Yes. Chicken, duck, fish and meat, we have all these things. What would you like to eat?

B: Wǒ bù chī zhūròu.
我 不 吃 猪肉。

I don't eat pork.

A: Wǒmen yǒu niúròu hé yángròu.
我 们 有 牛肉 和 羊肉。

We have beef and lamb.

B: Nà wǒmen yào yì tiáo yú,
那 我 们 要 一 条 鱼,

bàn zhī kǎoyā, yí gè qīngcài
半 只 烤鸭、一 个 青 菜

hé sān wǎn mǐfàn.
和 三 碗 米饭。

I'd like fish, half a roast duck, some green vegetables and three bowls of rice.

A: Yào chǎofàn háishi yào báifàn?
要 炒饭 还是 要 白饭?

Do you want fried rice or plain rice?

B: Báifàn.
白饭。

Plain rice.

(4)

(Settling the bill)

A: Fúwùyuán, qǐng jiézhàng.
服 务 员, 请 结账。

Waiter, may I have the bill?

B: Hǎo, wǒ mǎshàng lái.
好, 我 马 上 来。

OK, I'll get it right away.

A: Nǐmen de cài zhēn hǎochī!
你 们 的 菜 真 好 吃!

The food is really delicious here.

B: Xièxie.
谢 谢。

Thank you.

Language Points

1. 还是 háishi **and** 或者 huòzhě

Both translate into English as 'or'. 还是 háishi is used in a choice type question A + 还是 háishi +B? whereas 或者 huòzhě is used in a statement, 'either…or'. For example:

1) 你 想 喝茶 还是 喝咖啡?
Nín xiǎng hē chá háishi hē kāfēi?
Would you like tea or coffee?

2) 茶 或者 咖啡 都 行。
Chá huòzhě kāfēi dōu xíng.
Either tea or coffee, both are OK.

2. 好吃 hǎochī

Literally means 'good to eat' but actually means 'delicious' or 'very tasty'. The same pattern can be used in other verbs, such as 喝 hē (drink), 用 yòng (use), 听 tīng (listen), etc. See the table below.

Table 21. Combinations with 好 hǎo

Adj.	Verb	Literally	Meaning
hǎo 好 + good	喝 hē	*good to drink*	(the drink) is tasty
	看 kàn	*good to look*	(the person or thing) is pretty, is good-looking
	听 tīng	*good to listen*	(the music) is pleasant, sounds beautiful
	用 yòng	*good to use*	(the thing) is easy to use

3. 菜 cài

The keyword 菜 cài has quite a few meanings in Chinese. It is normally combined with other nouns to make new words, such as vegetables, greens, dish, cuisine, etc.

Table 22. Combinations with 菜 cài

Noun & adj.	Meaning	Keyword	English
青 qīng	*green*	+ 菜 cài	*vegetables, greens*
素 sù	*plain*		*dish without meat, vegetarian dish*
四川 Sìchuān	*Sichuan*		*Sichuan cuisine*
法国 Fǎguó	*France*		*French cuisine*

4. 鸡鸭鱼肉 jīyāyúròu

This literally means 'chicken, duck, fish and meat', but it also means 'rich food' in Chinese.

 Table 23. Combinations with 肉 ròu

Noun	Meaning	Keyword	English
猪 zhū	*pig*		*pork*
牛 niú	*cattle*	+ 肉 ròu	*beef*
羊 yáng	*sheep, goat*		*lamb, mutton*
鸡 jī	*chicken*		*chicken*

Exercises

1. Match the English with the Chinese.

1) beautiful sounding   a. 好吃 hǎochī
2) good looking   b. 好喝 hǎohē
3) easy to use   c. 好看 hǎokàn
4) delicious   d. 好听 hǎotīng
5) (drinks) tasty   e. 好用 hǎoyòng

2. Fill in the blanks with appropriate words.

1) Nǐ xǐhuan zhè jiàn hóng máoyī _____ nà jiàn lǜ de?
你喜欢 这件 红 毛衣_____那件绿的?

2) Wǒmen yào bàn _____ kǎoyā. yì _____ yú. yì _____ qīngcài hé sān _____ mǐfàn.
我们要半_____烤鸭,一_____鱼,一_____青菜和三_____米饭。

3) Běijīng kǎoyā hěn _____.
北京 烤鸭 很_____。

4) Nǐ xǐhuan chī Yìdàlì fàn _____ Fǎguó fàn?
你喜欢 吃意大利饭_____法国 饭? (using 'or')

5) Yìdàlì fàn _____ Fǎguó fàn wǒ dōu xǐhuan.
意大利饭_____法国 饭 我 都 喜欢。 (using 'or')

3. Translate the following sentences into English.

1) Jīntiān wǒ qǐngkè, nǐ xiǎng chī shénme?
今天 我 请客,你 想 吃 什么?

2) Wǒmen zhèr yǒu kǎoyángròu hé kǎoniúròu, nín xiǎng chī shénme?
我 们 这儿有烤羊 肉 和烤牛肉, 您 想 吃 什么?

3) *Jīyāyúròu wǒ dōu bù chī, wǒ shì sùshízhě.*
   鸡鸭鱼肉我都 不吃，我 是素食者。

4) *Zhè shì Lúndūn zuì hǎo de Zhōngguó fànguǎn, tāmen de cài hǎochī jíle.*
   这是伦敦 最好 的 中 国 饭馆，他们 的 菜 好吃极了。

5) *Zhè ge fànguǎn de cài fēicháng hǎochī, kěshì yǒudiǎnr guì.*
   这个 饭馆 的 菜 非常 好吃，可是 有点儿贵。

4. Translate the following sentences into Chinese.

1) Do you want fish or chicken?

2) Wait a moment, please.

3) May I have the bill, please?

4) May I ask how many of you there are?

5) This is a menu. Please have a look.

5. Listening Comprehension

Choose the correct answer according to the short dialogues.

1)	a. meat	b. vegetables	c. seafood
2)	a. roast beef	b. vegetable	c. fish
3)	a. fried egg rice	b. plain rice	c. fried rice
4)	a. beef	b. lamb	c. pork
5)	a. roast beef	b. roast duck	c. roast chicken

6. Classroom Activities

Role play: You and your friends are in a Chinese restaurant. The waiter/waitress doesn't speak English; therefore, you have to order the dishes and drinks in Chinese. Tell the waiter/waitress what you would like to eat, and settle the bill after the dinner.

7. Learning Chinese Characters

鸡						
鸭						
鱼						
肉						

Lesson 20 Hotels

Fàndiàn
饭店

Key sentences

1. 刚才你去哪儿了？   Gāngcái nǐ qù nǎr le?
2. 你吃早饭了吗？   Nǐ chī zǎofàn le ma?
3. 还没吃。这里的早餐怎么样？   Hái méi chī. Zhèli de zǎocān zěnmeyàng?
4. 今天白天你做什么了？   Jīntiān báitiān nǐ zuò shénme le?
5. 你们是怎么去的？   Nǐmen shì zěnme qù de?

New words

1. 里   lǐ   n   *inside*
2. 无线网   wúxiànwǎng   n   *Wi-Fi*
3. 登录名   dēnglùmíng   n   *username*
4. 密码   mìmǎ   n   *password*
5. 护照   hùzhào   n   *passport*
6. 健身房   jiànshēnfáng   n   *gym*
7. 地下   dìxià   n   *underground, basement*
8. 层   céng   n   *floor*
9. 早餐   zǎocān   n   *breakfast*
10. 中式   zhōngshì   adj   *Chinese style*

11.	西式	xīshì	adj	*Western style*
12.	式	shì	n	*style, type*
13.	赶快	gǎnkuài	adv	*hurry up, quickly*
14.	已经	yǐjīng	adv	*already*
15.	餐厅	cāntīng	n	*restaurant*
16.	白天	báitiān	t.w	*daytime, during the day*
17.	广场	guǎngchǎng	n	*square*
18.	参观	cānguān	v	*visit*
19.	国家	guójiā	n	*nation, country*
20.	博物馆	bówùguǎn	n	*museum*
21.	跟	gēn	v	*go with, follow closely*
22.	大巴	dàbā	n	*coach, tourist bus*
23.	天安门	Tiān'ānmén		
	广场	Guǎngchǎng	p.n	*Tiananmen Square*

 **Dialogues**

(1)

(Asking about Internet services)

A: Fàndiàn li yǒu wúxiànwǎng ma?
饭店里有无线网吗?

Is there Wi-Fi in the hotel?

B: Yǒu, dēnglùmíng shì nín de
有，登录名是您的
fángjiānhào, mìmǎ shì nín
房间号，密码是您
de hùzhàohào.
的护照号。

Yes, the username is your room number and the password is your passport number.

(Asking for information in a hotel)

A: Gāngcái nǐ qù nǎr le?　　　　　　*Where did you go just now?*
刚　才你去哪儿了？

B: Wǒ qù jiànshēnfáng le.　　　　　*I went to the gym.*
我去健身房了。

A: Jiànshēnfáng zài jǐ céng?　　　　*What floor is the gym on?*
健身房在几层？

B: Dìxià yì céng.　　　　　　　　　*It's in the basement.*
地下一层。

(3)

(Talking about what just happened)

A: Nǐ chī zǎofàn le ma?　　　　　　*Have you had breakfast?*
你吃早饭了吗？

B: Chī le.　Nǐ ne?　　　　　　　　*Yes, I have. How about you?*
吃了。你呢？

A: Hái méi chī. Zhèli de zǎocān　　　*I haven't yet. How's the breakfast*
还没吃。这里的早餐　　　　　　*here?*

zěnmeyàng?
怎么样？

B: Búcuò,　zhōngshì、xīshì de　　　*It is pretty good, both Chinese and*
不错，　中式、西式的　　　　　*Western. Hurry up.*

dōu yǒu, nǐ gǎnkuài qù ba.
都有，你赶快去吧。

A: Shì a, yǐjīng bā diǎn bàn le.　　　*Right, it's 8:30 already. The*
是啊，已经八点半了。　　　　　*restaurant closes at 9:00.*

Cāntīng jiǔ diǎn guān mén.
餐厅九点关门。

(4)

(Talking about past events)

A: Jīntiān báitiān nǐ zuò shénme le?
今天 白天 你 做 什么 了?
What did you do during the day today?

B: Wǒ qù Tiān'ānmén Guǎng-
我 去 天 安 门 广
I went to Tiananmen Square.

chǎng le.
场 了。

A: Nǐ shì shénme shíhou qù de?
你 是 什么 时候 去 的?
When did you go?

B: Shàngwǔ qù de.
上 午 去 的。
In the morning.

A: Xiàwǔ ne?
下午 呢?
How about the afternoon?

B: Qù cānguān Zhōngguó Guójiā
去 参 观 中 国 国家
I went to visit the National Museum of China.

Bówùguǎn le.
博 物 馆 了。

A: Nǐ shì gēn shuí qù de?
你 是 跟 谁 去 的?
Who did you go with?

B: Gēn wǒ péngyou yìqǐ qù de.
跟 我 朋 友 一起去 的。
I went there with my friends.

A: Nǐmen shì zěnme qù de? *How did you get there?*
    你们 是 怎么 去 的?

B: Shì zuò fàndiàn dàbā qù de. *We took the hotel coach.*
    是 坐 饭店 大巴 去 的。

 Language Points

1. Particle 了 le

There are many usages for the particle 了 le. In this lesson it indicates that an event happened in the past (especially when a time related phrase or word such as yesterday, last week, or just now is used). 没 méi is used in a negative sentence, and 了 is omitted. For example:

Zuótiān wǒ qù kàn péngyou le. *I went to see my friends yesterday.*
1) 昨 天 我 去 看 朋 友 了。

Zuótiān wǒ méi qù mǎi dōngxi. *I didn't go shopping yesterday.*
2) 昨 天 我 没 去 买 东 西。

Gāngcái nǐ qù nǎr le? *Where did you go just now?*
3) 刚 才 你 去 哪儿 了?

2. 是 shì + ... + Verb (past action) + 的 de

In this lesson this structure is used to stress specific information asked for, usually the how, when or where of a past action. 是 shì can be omitted in some affirmative statements or questions, but 的 de is never left out. The sentence pattern is:
Subject + 是 shì + when/how/where ... + Verb (past action) + 的 de (O)

Tā shì shénme shíhou qù de? *When did she go?*
1) 她 是 什 么 时 候 去 的?

Zhè běn shū shì zài nǎr mǎi de? *Where did you buy this book?*
2) 这 本 书 是 在 哪儿 买 的?

Nǐ shì zěnme lái de xuéxiào? *How did you come to the school?*
3) 你 是 怎么 来 的 学 校?

3. 楼 lóu and 层 céng

Both mean 'floor', such as the 1st floor, 2nd floor, etc. But 楼 lóu also means 'storied building', whereas 层 céng doesn't. For example:

Wǒ zhù zài jiǔ hào lóu èrshíliù céng. *I live on the 26th floor of Building No.9.*
1) 我 住 在 九 号 楼 二十六 层。

2)　Wǒmen xiǎoqū yǒu èrshí zuò lóu.
　　我 们 小 区 有 二 十 座 楼。　*Our community has 20 buildings.*

Exercises

1. Match the Chinese with the English.

1)　无线网 wúxiànwǎng　　　　　a. password
2)　用户名 yònghùmíng　　　　　c. passport
3)　密码 mìmǎ　　　　　　　　　d. log in
4)　护照 hùzhào　　　　　　　　e. Wi-Fi
5)　登录 dēnglù　　　　　　　　 f. username

2. Change the following sentences into negative ones.

1)　Wǒ chī wǔfàn le.
　　我 吃 午饭 了。

2)　Zuótiān wǎnshang wǒ qù kàn diànyǐng le.
　　昨天　晚 上　我去看 电 影了。

3)　Yínháng yǐjǐng guānmén le.
　　银 行 已 经 关 门 了。

4)　Jīntiān shàngwǔ tā qù shāngdiàn mǎi dōngxi le.
　　今天　上 午他去商 店 买 东 西了。

5)　Gāo Péng qù Shànghǎi le.
　　高　朋 去 上 海了。

3. Ask questions about the underlined parts in the following sentences.

1)　Zhè jiàn hēi dàyī shì zài Shànghǎi mǎi de.
　　这 件 黑 大衣是 在 <u>上 海</u> 买 的。

2)　Tāmen shì zuò fēijī qù de.
　　他 们 是 <u>坐飞机</u>去 的。

3)　Gāo Péng shì gēn Wáng Xiǎoyù yìqǐ qù de Lúndūn.
　　高　朋 是 <u>跟 王　小 玉</u>一起 去的 伦 敦。

4)　Zhè běn Hàn-Yīng cídiǎn shì qùnián mǎi de.
　　这 本 汉 英 词典是 <u>去年</u> 买 的。

5)　Wáng Xiǎoyù shì jiǔ diǎn bàn lái de.
　　王　小 玉是 <u>九点 半</u> 来 的。

4. Translate the following sentences into Chinese.

1)　Where have you been?

2) Have you had dinner?

3) When did you have dinner?

4) Where did you have dinner?

5) What did you have for dinner?

5. Listening Comprehension

Choose the correct answer according to the short dialogues.

1)	a. bookstore	b. bank	c. supermarket
2)	a. London	b. Paris	c. Hamburg
3)	a. cinema	b. restaurant	c. pub
4)	a. the 5th floor	b. the 15th floor	c. the 50th floor
5)	a. shopping online	b. send email	c. surf the Internet

6. Classroom Activities

Exchange information with your classmate about what you did last weekend, including the specific time, place and the activities you did.

7. Learning Chinese Characters

去									
健									
身									
房									

Lesson 21 Cafés & Pubs

Kāfēidiàn jí jiǔbā

咖啡店及酒吧

Key sentences

1. 你去过中国吗?   Nǐ qùguò Zhōngguó ma ?
2. 我听说过，可是没去过。   Wǒ tīngshuōguò, kěshì méi qùguò.
3. 你喝没喝过茅台?   Nǐ hē méi hēguò máotái?
4. 没喝过。味道怎么样?   Méi hēguò.Wèidào zěnmeyàng?
5. 咖啡要加牛奶和糖吗?   Kāfēi yào jiā niúnǎi hé táng ma?

New words

1.	过	guò	suffix	*after a verb to indicate a past action*
2.	啤酒	píjiǔ	n	*beer*
3.	酒	jiǔ	n	*wine, liquor*
4.	有名	yǒumíng	adj	*famous*
5.	味道	wèidào	n	*taste*
6.	好喝	hǎohē	adj	*tasty (drinks)*
7.	名酒	míngjiǔ	n	*well-know liquor*
8.	辣	là	adj	*strong (for alcoholic drinks)*
9.	酒吧	jiǔbā	n	*pub, bar*
10.	美食天堂	měishí tiāntáng		
			i.e	*gourmet paradise, food heaven*

11.	听说	tīngshuō	v	*hear of, be told*
12.	可是	kěshì	conj	*but*
13.	来	lái	v	*bring (as a substitute for some other verb)*
14.	杯	bēi	m.w/n	*cup of, cup*
15.	咖啡	kāfēi	n	*coffee*
16.	绿茶	lǜchá	n	*green tea*
17.	瓶	píng	m.w/n	*bottle of, bottle*
18.	可口可乐	kěkǒu-kělè	n	*Coca-Cola*
19.	加	jiā	v	*add*
20.	牛奶	niúnǎi	n	*milk*
21.	糖	táng	n	*sugar*
22.	天津	Tiānjīn	p.n	*name of a Chinese city*
23.	青岛	Qīngdǎo	p.n	*name of a Chinese city*
24.	三里屯	Sānlǐtún	p.n	*name of an area in Beijing*

Dialogues

(1)

(Talking about past experiences)

A: Nǐ qùguò Zhōngguó ma?
你 去 过 中 国 吗?
Have you been to China before?

B: Qùguò. Wǒ qùguò Běijīng、
去 过。我 去 过 北京、
Tiānjīn hé Qīngdǎo.
天 津 和 青 岛。
Yes, I've been to Beijing, Tianjin and Qingdao.

A: Qīngdǎo píjiǔ hěn yǒumíng.
青 岛 啤酒 很 有 名,
Tsingtao Beer is very famous, isn't it?

shì ma?
是 吗？

B: Shì a, fēicháng yǒumíng.　　　　　*Yes, it's very famous.*
是 啊，非常 有 名。

A: Nǐ hēguò ma?　　　　　*Have you ever drunk Tsingtao Beer?*
你 喝过 吗？

B: Hēguò. Wèidào hǎo jíle.　　　　　*Yes, I have. It tastes very good.*
喝过。味 道 好 极了。

(2)

(Discussing drinks)

A: Nǐ hē méi hēguò Máotái?　　　　　*Have you tried Maotai before?*
你 喝 没 喝过 茅 台？

B: Méi hēguò. Shénme shì Máotái?　　*Not yet. What is Maotai?*
没 喝过。 什么 是 茅台？

A: Máotái shì Zhōngguó míngjiǔ.　　　*Maotai is a famous Chinese liquor.*
茅 台 是 中 国 名 酒。

B: Nǐ hēguò ma?　　　　　*Have you ever had it?*
你 喝过 吗？

A: Wǒ hēguò.　　　　　*Yes, I have.*
我 喝 过。

B: Wèidào zěnmeyàng?　　　　　*What does it taste like?*
味 道 怎么 样？

A: Bù hǎo hē, tài là le.　　　　　*It's not that tasty. It's too strong.*
不 好 喝，太 辣了。

3

(Talking about a place)

A: Nǐ qùguò Běijīng Sānlǐtún
你 去 过 北京 三里屯

jiǔbā jiē ma?
酒吧街 吗?

Have you been to Sanlitun
Bar Street in Beijing?

B: Qùguò, nàli zhēnshì měishí
去 过, 那里 真 是 美 食

tiāntáng !
天 堂!

Yes, I have. It's a gourmet paradise.

A: Wǒ tīngshuōguò, kěshì méi
我 听 说 过, 可是 没

qùguò.
去 过。

I've heard of it, but never been there.

B: Nà nǐ yídìng yào qù nàr kànkan.
那 你 一定 要 去 那儿看看。

Then you must go there and have a
look around.

(Ordering drinks)

A: Nín xiǎng hē shénme?
您 想 喝 什么?

What would you like to drink?

B: Lái liǎng bēi kāfēi, yì bēi lùchá
来 两 杯 咖啡、一杯 绿茶

hé yì píng kěkǒu-kělè.
和一 瓶 可口可乐。

Two coffees, a cup of green tea,
and a bottle of Coca-Cola.

A: Kāfēi yào jiā niúnǎi hé táng ma?
咖啡要 加 牛奶 和 糖 吗?

Would you like coffee with milk and
sugar?

B: Bù jiā, xièxie.
不 加, 谢谢。

No, thank you.

Language Points

1. Verb + 过 guò indicates that something happened in the indefinite past. The emphasis is on the past experience as opposed to when it happened.

The negative is: 没 méi (有 yǒu) + verb + 过 guò ...

1) 你 去 过 中 国 吗？
   Nǐ qùguò Zhōngguó ma?
   Have you ever been to China?

2) 我 去 过 中 国。
   Wǒ qùguò Zhōngguó.
   Yes, I have been to China before.

3) 我 没 去 过 中 国。
   Wǒ méi qùguò Zhōngguó.
   I have never been to China.

2. V + 过 guò and V + 了 le: 过 guò indicates a past experience while 了 le suggests completion of an action or a change of status of the action. For example:

1) 她 去 中 国 了。
   Tā qù Zhōngguó le.
   She has gone to China. (She is in China now.)

2) 她 去 过 中 国。
   Tā qùguò Zhōngguó.
   She has been to China before. (She is not in China now.)

3) 她 不 在 中 国 工 作 了。
   Tā bú zài Zhōngguó gōngzuò le.
   She doesn't work in China any more. (She used to work there.)

3. 来 lái can be translated as 'to come, to arrive'. In this lesson 来 lái means 'to bring, to give, to send (some food or drinks to me)'. Normally it is used to order food in restaurants, cafés or pubs. For example:

1) A：您 想 喝 点儿 什 么？
   Nín xiǎng hē diǎnr shénme?
   What would you like to drink?

   B：来 两 杯 啤酒。
   Lái liǎng bēi píjiǔ.
   (bring) Two beers, please.

2) 给 我 们 来 三 瓶 可乐。
   Gěi wǒmen lái sān píng kělè.
   (bring) Three bottles of Coke for us, please.

4. Container words as a measure word: Some container words, such as 杯 bēi, 瓶 píng, etc. can be measure words and can also be nouns. For example:

1) 两 杯 茶
   liǎng bēi chá
   two cups of tea (here 杯 is a MW)

2) 两 个 茶杯
   liǎng gè chábēi
   two tea cups (here 杯 is a noun, 个 is a MW)

	sān píng píjiǔ	three bottles of beer (here 瓶 is a MW)
3)	三 瓶 啤酒	
	sān gè píjiǔpíng	three beer bottles (here 瓶 is a noun,
4)	三 个 啤酒瓶	个 is a MW)

Please note: If there is no attributive before 杯 bēi or 瓶 píng, i.e. just for general use, then 子 zǐ should be added after 杯 bēi or 瓶 píng. This is because 杯 bēi or 瓶 píng are monosyllabic words that cannot be used on their own.

For example: 杯子 bēizi *(cup)*，瓶子 píngzi *(bottle)*

 **Exercises**

1. Fill in the blanks with measure words.

1)
sān _____ cídiǎn
三 _____ 词典
shí _____ xuésheng
十 _____ 学生
yí _____ lǎoshī
一 _____ 老师

2)
sì _____ mǐfàn
四 _____ 米饭
liǎng _____ chāoshì
两 _____ 超市
wǔ _____ lǜchá
五 _____ 绿茶

3)
qī _____ yú
七 _____ 鱼
jiǔ _____ píjiǔ
九 _____ 啤酒
liǎng _____ dìtú
两 _____ 地图

4)
bàn _____ kǎoyā
半 _____ 烤鸭
liǎng _____ chènshān
两 _____ 衬衫
liù _____ kùzi
六 _____ 裤子

5)
liǎng _____ jīpiào
两 _____ 机票
yì _____ shuǐguǒ
一 _____ 水果
bā _____ píngguǒ
八 _____ 苹果

2. Fill in the blanks with the words given; each word can only be used once.

a. 想 xiǎng	b. 喝 hē	c. 名 míng	d. 过 guò	e. 了 le

1)
Běijīng kǎoyā hěn yǒu _____.
北京 烤鸭 很 有 _____。

2)
Zuótiān wǎnshang wǒmen qù hē píjiǔ _____.
昨 天 晚 上 我 们 去 喝 啤酒 _____。

3)
Wǒ méi qù _____ Xībānyá.
我 没 去 _____ 西班牙。

4)
Jiékè fēicháng _____ qù Zhōngguó gōngzuò.
杰 克 非 常 _____ 去 中 国 工 作。

5)
Zhōngguó lǜchá tài hǎo _____ le.
中 国 绿茶 太 好 _____ 了。

3. Change the following sentences into YES/NO questions, and then change them into negative sentences.

1) Wǒ mèimei xuéguò Yīngyǔ.
   我 妹妹 学 过 英语。

2) Wáng Xiǎoyù qùguò Měiguó.
   王 小玉 去过 美国。

3) Nǐ dìdi láiguò wǒmen dàxué.
   你弟弟来过 我们 大学。

4) Tāmen hēguò Zhōngguó lǜchá.
   他们 喝过 中 国 绿茶。

5) Wǒ chīguò Běijīng kǎoyā.
   我 吃过 北京 烤鸭。

4. Translate the following sentences into Chinese.

1) Have you been to Hamburg before?

2) He has gone to Shanghai already.

3) I haven't been to Beijing.

4) What do you think of Tsingtao Beer?

5) Does the red tea taste good?

5. Listening Comprehension

Mark true (T) or false (F) according to the short dialogues.

1) Tsingtao Beer doesn't taste very good.   (   )

2) He hasn't been to Hainan Island.   (   )

3) He would like a bottle of Coke.   (   )

4) This green tea doesn't taste nice.   (   )

5) He doesn't want sugar with his coffee.   (   )

6. Classroom Activities

Working in pairs: Discuss with your classmate the various Chinese and Western drinks that you have tried before. Ask your partner what she/he likes to drink and why.

7. Learning Chinese Characters

喝									
酒									
绿									
茶									

Lesson 22 Travel Methods

Lǚxíng fāngshì
旅行方式

 Key sentences

1. 你家离学校远吗?　　　　　Nǐ jiā lí xuéxiào yuǎn ma?
2. 你每天怎么去学校?　　　　Nǐ měi tiān zěnme qù xuéxiào?
3. 你家附近有没有火车站?　　Nǐ jiā fùjìn yǒu méiyǒu huǒchēzhàn?
4. 我得开车去火车站。　　　　Wǒ děi kāichē qù huǒchēzhàn.
5. 你坐火车还是坐船?　　　　Nǐ zuò huǒchē háishi zuò chuán?

 New words

1.	离	lí	v	*be away from*
2.	远	yuǎn	adj	*far*
3.	骑	qí	v	*ride*
4.	自行车	zìxíngchē	n	*bicycle*
5.	走路	zǒulù	v-o	*go on foot, walk*
6.	地铁	dìtiě	n	*tube, underground*
7.	地铁站	dìtiězhàn	n	*tube station*
8.	公共	gōnggòng	adj	*public*
9.	汽车	qìchē	n	*car*
10.	公共汽车	gōnggòng qìchē		
			n	*bus*
11.	火车站	huǒchēzhàn	n	*train station*

12.	得	děi	m.v	have to, must
13.	开车	kāichē	v	drive (a car)
14.	船	chuán	n	ship, boat
15.	飞机	fēijī	n	airplane
16.	公园	gōngyuán	n	park
17.	市场	shìchǎng	n	market
18.	出租车	chūzūchē	n	taxi
19.	巴黎	Bālí	p.n	Paris
20.	罗马	Luómǎ	p.n	Rome
21.	北海公园	Běihǎi Gōngyuán	p.n	name of a park in Beijing
22.	秀水街市场	Xiùshuǐjiē Shìchǎng	p.n	name of a market in Beijing

Dialogues

(1)

(Asking about how to get to school or work)

A: Nǐ jiā lí xuéxiào yuǎn ma?
你 家 离 学 校 远 吗？

Is your home far from school?

B: Bú tài yuǎn.
不 太 远。

It's not very far.

A: Nǐ měi tiān zěnme qù xuéxiào?
你 每 天 怎么 去 学 校？

How do you get to school every day?

B: Wǒ qí zìxíngchē qù xuéxiào.
我 骑 自行 车 去 学 校。

I ride a bike to school, and you?

Nǐ ne? Zěnme qù shàngbān?
你 呢？ 怎么 去 上 班？

How do you get to work?

A: wǒ zǒulù qù.
我 走 路 去。

I go on foot.

(2)

(Talking about transportation)

A: Nǐ jiā lí jīchǎng yuǎn bù yuǎn?
你 家 离 机 场 远 不 远?

Is your home far from the airport?

B: Hěn yuǎn, kěshì zuò dìtiě
很 远，可是 坐 地 铁

hěn fāngbiàn.
很 方 便。

Yes, very far, but it's very convenient

to take the tube.

A: Nǐ jiā lí dìtiězhàn jìn ma?
你 家 离 地 铁 站 近 吗?

Is the tube station close to your home?

B: Bú jìn. Wǒ zuò gōnggòng
不 近。我 坐 公 共

qìchē qù dìtiězhàn.
汽 车 去 地 铁 站。

It's not close. I go to the tube station by bus.

A: Nǐ jiā fùjìn yǒu méiyǒu
你 家 附 近 有 没 有

huǒchēzhàn?
火 车 站?

Are there any train stations near your home?

B: Méiyǒu. Wǒ děi kāi chē qù
没 有。我 得 开 车 去

huǒchēzhàn.
火 车 站。

No, I have to drive to the train station.

(3)

(Discussing transportation)

A: Zhè ge zhōumò nǐ qù nǎr?
这 个 周 末 你 去 哪儿?

Where are you going this weekend?

B: Qù Bālí.
去 巴 黎。

I'm going to Paris.

A: Zěnme qù? Zuò huǒchē háishi
怎 么 去? 坐 火 车 还 是

How will you get there? By train or by ship?

zuò chuán?
坐　船?

B: Zuò huǒchē. Nǐ ne? Nǐ qù nǎr?　　By train. And you? Where are you
坐　火车。你呢? 你去哪儿?　　going?

A: Qù Luómǎ. Wǒ zuò fēijī qù.　　I'm going to Rome. I will fly there.
去 罗马。我 坐 飞机去。

(4)

(Asking about transportation)

A: Zuótiān nǐ qù nǎr le?　　*Where did you go yesterday?*
昨 天 你 去哪儿了?

B: Wǒ qù Běihǎi Gōngyuán hé　　*I went to Beihai Park and Silk Street*
我 去北海 公 园 和　　*Market.*

Xiùshuǐjiē Shìchǎng le.
秀水 街市 场 了。

A: Nǐ shì zěnme qù de?　　*How did you get there?*
你 是 怎么 去 的?

B: Wǒ shì zuò chūzūchē qù de.　　*I went there by taxi.*
我 是坐 出租车 去 的。

1. 离 lí means 'be at a distance from' or 'be away from'. It denotes the distance. The pattern is: A + 离 lí + B + distance (far/close etc.)

For example:

1) Nǐ jiā lí fēijīchǎng yuǎn ma?
   你 家 离 飞 机 场　远　吗? — *Is it far from your home to the airport?*

2) Wǒ jiā lí dìtiězhàn hěn jìn.
   我 家 离 地 铁 站　很 近。 — *My home is very close to the tube station.*

2. '怎么去 zěnme qù / 来 lái + a place?' is a question about the kind of transportation being used to get to the place. It's not a question about directions. For example:

1) Nǐ zěnme qù Fǎguó?
   A : 你 怎 么 去 法 国? — *How will you go to France?*

   Wǒ zuò fēijī qù.
   B : 我　坐 飞 机 去。 — *I will go by airplane.*

2) Míngtiān nǐ zěnme lái wǒ jiā?
   A : 明　天　你 怎 么 来 我 家? — *How will you come to my house tomorrow?*

   Wǒ zuò gōnggòng qìchē.
   B : 我　坐 公　共　汽 车。 — *I will take the bus.*

3. Transport methods

坐 zuò is used when you are a passenger in any form or transport whereas 骑 qí means 'to ride' (bicycles, horses etc.). 开 kāi means 'to operate' and is used to express driving a car, flying an airplane, etc. The pattern is: Subject + 坐 zuò / 骑 qí / 开 kāi + Transport + Verb + (Object).

For example:

1) Wǒ zuò huǒchē qù Bālí.
   我　坐　火　车　去 巴 黎。 — *I'm taking a train to Paris.*

2) Tā kāi chē qù chāoshì.
   他 开 车 去　超 市。 — *He drives to the supermarket.*

3) Wǒ qí zìxíngchē huíjiā.
   我　骑 自 行 车　回 家。 — *I ride a bicycle home.*

4. 车 chē indicates all kind of vehicles. See the table below:

Table 24. Phrases related to 车 chē

Verb	Name of transportation		English
开 kāi/ 坐 zuò to drive/ to sit	汽 qì	+ 车 chē vehicle	car	drive a /go by car
	火 huǒ		train	drive a /go by train
	出租 chūzū		taxi	drive a /go by taxi
	公共汽 gōnggòng qì		bus	drive a /go by bus
骑 qí to ride	自行 zìxíng		bicycle	ride a bicycle
	摩托 mótuō		motorbike	ride a motorbike
	马 mǎ	X	horse	ride a horse

Exercises

1. Fill in the blanks with the words given; each word can only be used once.

a. 附近 fùjìn	b. 骑 qí	c. 离 lí	d. 从 cóng
e. 还是 háishi	f. 坐 zuò	g. 怎么 zěnme	h. 到 dào

Běijīng _____ Tiānjīn hěn jìn.
1) 北京 _____ 天 津 很 近。

_____ Běijīng _____ Shànghǎi zuò huǒchē hěn kuài.
2) _____ 北京 _____ 上 海 坐 火 车 很 快。

Nǐ dǎsuan _____ qù Qīngdǎo? Shì zuò huǒchē _____ zuò chuán?
3) 你 打 算 _____ 去 青 岛? 是 坐 火 车 _____ 坐 船?

Nǐ jiā _____ yǒu dìtiězhàn ma?
4) 你 家 _____ 有 地 铁 站 吗?

Ānnà bù xǐhuan _____ gōnggòng qìchē. tā xǐhuan _____ zìxíngchē.
5) 安娜 不 喜 欢 _____ 公 共 汽 车,她喜欢 _____ 自行车。

2. Translate the following phrases into Chinese.

1) take a bus   2) ride a bike   3) drive a car   4) on foot

5) call a taxi   6) by airplane   7) ride a horse   8) by boat

3. Translate the following sentences into English.

1) *Wǒ chángcháng kāi chē qù chāoshì mǎi dōngxi.*

   我常常开车去超市买东西。

2) *Wǒ bú huì kāi chē, dànshì wǒ hěn xiǎng xué kāi chē.*

   我不会开车，但是我很想学开车。

3) *Xuéxiào jiù zài wǒ jiā fùjìn, wǒ měi tiān zǒulù qù xuéxiào.*

   学校就在我家附近，我每天走路去学校。

4) *Tīngshuō "Ōuzhōu zhī xīng" yòu kuài yòu fāngbiàn, kěshì wǒ hái méi zuòguò.*

   听说"欧洲之星"又快又方便，可是我还没坐过。

5) *Zhōumò wǒ xǐhuan qí zìxíngchē qù gōngyuán.*

   周末我喜欢骑自行车去公园。

4. Translate the following sentences into Chinese.

1) I often travel to Paris by Eurostar.

2) Is there an underground system in Nanjing?

3) How do you go to Shanghai from Beijing?

4) Beijing is very far from London. I have to go by airplane.

5) Many students go to school by bicycle in the morning.

5. Listening Comprehension

Circle the correct answer according to the short dialogues.

1) a. ride a bicycle   b. by bus   c. by tube

2) a. very far   b. not too far   c. very close

3) a. drive a car   b. walk   c. by bus

4) a. by boat   b. by train   c. by car

5) a. by airplane   b. by train   c. by ship

6. Classroom Activities

Role play: You have visitors from China. You would like to take them to visit famous places, museums, scenic spots and historical sites in your hometown. Discuss your plan with your Chinese friends, and ask them where they want to go and tell them how to get there.

7. Learning Chinese Characters

走									
路									
坐									
船									

Lesson 23   Locations & Directions

地点与方向

 Key sentences

1. 从你家到学校坐火车要多长 时间？

   Cóng nǐ jiā dào xuéxiào zuò huǒchē yào duō cháng shíjiān?

2. 公司旁边有一个商店，对面有 一个饭馆。

   Gōngsī pángbiān yǒu yí gè shāngdiàn, duìmiàn yǒu yí gè fànguǎn.

3. 去北京饭店怎么走？

   Qù Běijīng Fàndiàn zěnme zǒu?

4. 从这儿一直往前走，到了红绿 灯往左拐。

   Cóng zhèr yìzhí wǎng qián zǒu, dàole hónglùdēng wǎng zuǒ guǎi.

5. 大概要走几分钟？

   Dàgài yào zǒu jǐ fēnzhōng?

 **New words**

1.	南	nán	l.w	*south*
2.	边	biān	n	*side, edge*
3.	多长	duō cháng	q.w	*how long*
4.	小时	xiǎoshí	n	*hour*
5.	中心	zhōngxīn	n	*centre*
6.	旁边	pángbiān	l.w	*next to, beside*

7.	对面	duìmiàn	l.w	opposite
8.	咖啡馆	kāfēiguǎn	n	café
9.	前	qián	n	front, ahead, before
10.	后	hòu	n	behind, back, after
11.	一直	yìzhí	adv	straight
12.	往	wǎng	prep	towards
13.	红绿灯	hónglǜdēng	n	traffic light
14.	左	zuǒ	n	left
15.	拐	guǎi	v	turn
16.	分钟	fēnzhōng	n	minute
17.	大使馆	dàshǐguǎn	n	embassy
18.	右	yòu	n	right
19.	过	guò	v	pass, cross, go over
20.	路口	lùkǒu	n	crossing, road junction
21.	就	jiù	adv	just (emphasis)
22.	星巴克	Xīngbākè	p.n	Starbucks (name of a coffee shop)
23.	咖世家	Kāshìjiā	p.n	Costa (name of a coffee shop)
24.	光华路	Guānghuá Lù	p.n	name of a road in Beijing

 **Dialogues**

(1)

(Talking about location)

A: Nǐmen xuéxiào zài nǎr?
你们 学校 在 哪儿?

Where is your school?

B: Zài Lúndūn de nánbian.
在 伦敦 的 南边。

It is in the south of London.

A: Cóng nǐ jiā dào xuéxiào zuò
从　你家到　学校　坐

huǒchē yào duō cháng shíjiān?
火车要多　长　时间？

How long would it take to get from your home to school by train?

B: Dàgài yí gè xiǎoshí.
大概一个小时。

Probably one hour.

(2)

(Asking and giving directions)

A: Nǐmen gōngsī zài shénme
你们　公司在　什么

dìfang?
地方？

Where is your company?

B: Zài Lúndūn zhōngxīn.
在伦敦　中心。

In the centre of London.

A: Nà yídìng hěn fāngbiàn ba.
那一定　很　方便吧。

That must be very convenient.

B: Shì a, gōngsī pángbiān yǒu
是啊，公司旁边有

yí gè shāngdiàn, duìmiàn yǒu
一个商店，对面有

yí gè fànguǎn.
一个饭馆。

Yes, there is a shop next to the office, and a restaurant opposite.

A: Fùjìn yǒu kāfēiguǎn ma?
附近有咖啡馆吗？

Are there any cafés nearby?

B: Yǒu. Gōngsī qiánmiàn shì
有。公司前面是

Xīngbākè, hòumiàn shì Kāshìjiā.
星巴克，后面是咖世家。

Yes, in front of the office is Starbucks, and behind the office is Costa.

(Asking and giving directions)

A: Qǐngwèn, qù Běijīng Fàndiàn
请 问，去北京 饭店

zěnme zǒu?
怎 么 走?

Excuse me, how do I get to Beijing Hotel?

B: Cóng zhèr yìzhí wǎng qián zǒu,
从 这儿一直 往 前 走，

dàole hónglǜdēng wǎng zuǒ guǎi.
到 了 红 绿 灯 往 左 拐。

Go straight from here, and when you get to the traffic lights, turn left.

A: Yào zǒu jǐ fēnzhōng?
要 走 几分 钟?

How long does it take to walk there?

B: Dàgài wǔ fēnzhōng.
大 概 五 分 钟。

About 5 minutes.

(Describing locations and giving directions)

A: Yīngguó Dàshǐguǎn zài nǎr?
英 国 大使 馆 在哪儿?

Where is the British Embassy?

B: zài Guānghuá Lù.
在 光 华 路。

It is on Guanghua Road.

A: Qù dàshǐguǎn zěnme zǒu?
去 大 使馆 怎 么 走?

How do I get there?

B: Cóng zhèr wǎng yòu guǎi,
从 这儿往 右 拐，

guò liǎng gè lùkǒu jiù dào le.
过 两 个 路口 就 到 了。

Turn right from here, then cross two junctions and you will be there.

Language Points

1. Location words

边 biān or 面 miàn should be added after monosyllabic location words such as 东 dōng, 南 nán, 西 xī, 北 běi… whereas they are not necessary when location words are disyllabic ones.

Table 25. Location words

Syllable	Location words				Need to add
Monosyllabic	dōng 东 *east*	nán 南 *south*	xī 西 *west*	běi 北 *north*	biān / miàn 边 / 面 *side*
	shàng 上 *above*	xià 下 *under*	zuǒ 左 *left*	yòu 右 *right*	biān / miàn 边 / 面 *side*
	qián 前 *front*	hòu 后 *behind*	lǐ 里 *inside*	wài 外 *outside*	biān / miàn 边 / 面 *side*
Disyllabic	dōngnán 东南 *southeast*	xīnán 西南 *southwest*	dōngběi 东北 *northeast*	xīběi 西北 *northwest*	biān / miàn 边 / 面 *(optional)*
	zhōngjiān 中间 *middle*	duìmiàn 对面 *opposite*	pángbiān 旁边 *next to*	zhōngxīn 中心 *centre*	None

2. Describing location

The patterns are as follows:

(1) A (*specific noun*) + 在 zài + B (的 de) + Location

Wǒ jiā zài Lúndūn de běibian.
我 家 在 伦 敦 的 北 边。

My home is in north London.

(2) A (的 de) + Location + 有 yǒu + B (*non-specific noun*)

Wǒmen xuéxiào pángbiān yǒu
我 们 学 校 旁 边 有

There is a bookshop next to our school.

yí gè shūdiàn.
一 个 书 店。

(3) A (*specific noun*)(的 de) + Location + 是 shì + B (*specific noun*)

Yínhángde yòubian shì yóujú.
银 行 的 右 边 是 邮 局。

To the right of the bank is the post office.

(4) A 在 zài B 和 C (的 de) 中间 zhōngjiān

Shūdiàn zài yínháng hé kāfēiguǎn
书 店 在 银 行 和 咖啡馆

The bookshop is between the bank and the café.

(de) zhōngjiān.
(的) 中 间。

3. Duration

To express time duration we use 小时 xiǎoshí and 分钟 fēnzhōng. This is different when comparing with the other methods of expressing time. See the table below:

Table 26. Expressing time and time duration

Time		Duration	
2 o'clock	liǎng diǎn 两　点	2 hours	liǎng gè xiǎoshí 两　个 小　时
2:10	liǎng diǎn shí fēn 两　点 十 分	2 hours and 10 minutes	liǎng gè xiǎoshí shí fēnzhōng 两　个 小　时 十 分 钟

4. Asking directions

The pattern is '去 qù + a place + 怎么走 zěnme zǒu'.

For example:

Qù Běijīng Fàndiàn zěnme zǒu?
去 北 京 饭 店 怎 么 走?

How can I get to the Beijing Hotel?

5. Giving directions: The pattern is '往 wǎng or 向 xiàng + Direction + Verb'.

For example:

1) Cóng zhèr xiàng zuǒ guǎi.
从 这 儿 向 左 拐。

Turn left from here.

2) Guò dìtiězhàn wǎng qián zǒu.
过 地铁站 往 前 走。

Go straight after passing the tube station.

 **Exercises**

1. Say the following words in Chinese.

1) on the left   2) turn right   3) in the middle   4) next to

5) northeast   6) southeast   7) northwest   8) in front of

9) behind   10) nearby

2. Choose the appropriate words to fill in the blanks.

Fēijīchǎng lǐmiàn _____ hěn duō rén.
1) 飞机场 里面 _____ 很 多 人。

    a. 在 zài   b. 是 shì   c. 有 yǒu

Wǒmen xuéxiào jiù _____ Běihǎi Gōngyuán de hòumiàn.
2) 我 们 学 校 就 _____ 北 海 公 园 的 后 面。

    a. 在 zài   b. 是 shì   c. 有 yǒu

Dìtiězhàn de duì _____ yǒu yí gè kāfēidiàn.
3) 地铁站 的 对 _____ 有 一 个 咖啡店。

    a. 边 biān   b. 面 miàn   c. 间 jiān

Zhōngguó Yínháng de páng _____ shì Zhōngguó Gōngshāng Yínháng.
4) 中 国 银 行 的 旁 _____ 是 中 国 工 商 银 行。

    a. 边 biān   b. 面 miàn   c. 间 jiān

Chāoshì zài yínháng hé shūdiàn de zhōng _____.
5) 超 市 在 银 行 和 书 店 的 中 _____。

    a. 边 biān   b. 面 miàn   c. 间 jiān

3. Translate the following sentences into English.

Qǐngwèn, qù Běijīng Fàndiàn zěnme zǒu.
1) 请 问，去北京 饭 店 怎么 走？

Yìzhí wǎng qián zǒu, dàole hónglǜdēng xiàng zuǒ guǎi.
2) 一直 往 前 走，到了 红绿灯 向 左 拐。

Cóng Běijīng dào Shànghǎi zuò huǒchē yào duō cháng shíjiān?
3) 从 北 京 到 上 海 坐 火 车 要 多 长 时间？

Zhèr lí dàshǐguǎn bù yuǎn, zǒulù dàgài shí fēnzhōng.
4) 这 儿 离 大 使 馆 不 远，走路 大概 十 分 钟。

Cóng nǐ jiā dào dìtiězhàn zǒulù yào duō cháng shíjiān?
5) 从 你家 到 地铁站 走路 要 多 长 时间？

4. Translate the following sentences into Chinese.

1) The café is behind the bookshop.
2) The park is next to the school.
3) There is a very big supermarket near my home.
4) Excuse me, how do I get to the train station?
5) The tube station is not far from here; it is just ahead.

5. Listening Comprehension

Circle the correct answer according to the short dialogues.

1)	a. east	b. centre	c. west
2)	a. northeast	b. northwest	c. southwest
3)	a. left	b. right	c. behind
4)	a. 3 hours	b. 4 hours	c. 5 hours
5)	a. 9 hours	b. 10 hours	c. 11 hours

6. Classroom Activities

Work in pairs: You would like to invite your Chinese friend to your home. Give him/her directions for how to get there.

7. Learning Chinese Characters

东								
西								
南								
北								

Lesson 24 · Review & Test

复习与测验

Part 1 Review for Lessons 19-23

 **Key patterns**

1. Sentence patterns

Patterns	Examples
A + 还是 háishi + **B**?	Nǐ hē chá háishi hē kāfēi? 你喝 茶 还是 喝咖啡?
A + 或者 huòzhě + **B**	Chá huòzhě kāfēi dōu xíng. 茶 或者咖啡 都 行。
Subject + **Verb** + **Object** + 了 le	Zuótiān wǒ qù kàn péngyou le. 昨 天 我去看 朋 友了。
Subject + 没 méi + **Verb** + **Object**	Jīntiān zǎoshang wǒ méi hē chá. 今 天 早 上 我 没 喝茶。
S + 是 shì + **Circumstance** + **Verb** + 的 de	Zhè běn shū shì zài nǎr mǎi de? 这 本 书 是 在 哪儿买 的?
S + 是 shì + (when/where/how) + **Verb** + 的 de	Nǐ shì zěnme / shénme shíhou 你是 怎 么/什 么 时候 lái de? 来 的?
Subject + **Verb** + 过 guò	Nǐ qùguò Zhōngguó ma? 你去 过 中 国 吗?
Subject + 没 méi + **Verb** + 过 guò	Wǒ méi qùguò Zhōngguó. 我 没去过 中 国。

A 离 lí **B** + distance (远 yuǎn / 近 jìn)	Nǐ jiā lí huǒchēzhàn yuǎn ma? 你 家 离 火 车 站 远 吗?
Subject + 怎么去 zěnme qù / 来 lái + **a place**	Zhōumò nǐ zěnme qù Fǎguó? 周 末 你 怎么 去 法国? Nǐ měi tiān zěnme lái xuéxiào? 你 每 天 怎么 来 学校?
Subject + 坐 zuò / 骑 qí / 开 kāi + **Transport** + **Verb**	Tā zuò huǒchē qù shàngbān. 他 坐 火 车 去 上 班。 Tā qí zìxíngchē qù xuéxiào. 她 骑 自 行 车 去 学 校。 Tā kāi chē qù chāoshì. 他 开 车 去 超 市。
A (specific noun) + 在 zài + **B** (的 de) + **Location**	Wǒ jiā zài Lúndūn de běibian. 我 家 在 伦 敦 的 北 边。
A (的 de) + **Location** + 有 yǒu + **B** (non-specific noun)	Huǒchēzhàn pángbiān yǒu yí 火 车 站 旁 边 有 一 gè kāfēiguǎn. 个 咖啡 馆。
A (specific noun)(的 de) + **Location** + 是 shì + **B** (specific noun)	Yínháng de duìmiàn shì yóujú. 银 行 的 对 面 是 邮局。
A + 在 zài + **B** + 和 hé + **C** (的 de) 中间 zhōngjiān	Chāoshì zài shūdiàn hé fànguǎn 超 市 在 书 店 和 饭 馆 de zhōngjiān. 的 中 间。
去 qù + **a place** + 怎么走 zěnme zǒu ?	Qù Běijīng Dàxué zěnme zǒu? 去 北 京 大 学 怎么 走?
往 wǎng **or** 向 xiàng + **Direction** + **Verb**	Wǎng / xiàng zuǒ guǎi. 往 / 向 左 拐。

2. Fixed phrases

Patterns	Examples
好 hǎo + **Verb**	好 吃 hǎochī / 好 看 hǎokàn / 好 喝 hǎohē / 好听 hǎotīng / 好用 hǎoyòng
Noun + 肉 ròu	猪肉 zhūròu / 牛肉 niúròu / 羊肉 yángròu / 鸡肉 jīròu / 鱼肉 yúròu

Location Word + 边 biān / 面 miàn	东边 dōngbian / 西边 xībian / 南面 nánmiàn / 北面 běimiàn / 西北边 xīběibian

Part 2 Test for Lessons 19-23

1. Reading Comprehension

Text

Luójié shì qùnián jiǔ yuè lái Běijīng de, dào xiànzài yǐjīng yì
罗 杰 是 去 年 九 月 来 北 京 的， 到 现 在 已 经 一
nián bàn le. Tā zhù de gōngyù lí xuéxiào bù yuǎn, suǒyǐ Luójié yǒu-
年 半 了。他 住 的 公 寓 离 学 校 不 远， 所 以 罗 杰 有
shíhou zǒulù qù xuéxiào, yǒushíhou qí zìxíngchē qù xuéxiào.
时 候 走 路 去 学 校， 有 时 候 骑 自 行 车 去 学 校。

Gōngyù qiánbian yǒu yí gè xiǎo gōngyuán, zǎoshang tā cháng
公 寓 前 边 有 一 个 小 公 园， 早 上 他 常
qù nàli pǎobù, gōngyù hòubian shì yí gè hěn dà de túshūguǎn.
去 那 里 跑 步， 公 寓 后 边 是 一 个 很 大 的 图 书 馆。
Túshūguǎn lǐmiàn yǒu yí gè kāfēitīng, kàn shū lèi le, tā kěyǐ qù nàli
图 书 馆 里 面 有 一 个 咖 啡 厅， 看 书 累 了，他 可 以 去 那 里
xiūxi, hē kāfēi.
休 息、 喝 咖 啡。

Gōngyù fùjìn méiyǒu huǒchēzhàn, kěshì yǒu dìtiězhàn hé
公 寓 附 近 没 有 火 车 站， 可 是 有 地 铁 站 和
gōnggòng qìchēzhàn, qù shì zhōngxīn hěn fāngbiàn, cóng nàli zuò
公 共 汽 车 站， 去 市 中 心 很 方 便， 从 那 里 坐
dìtiě qù shì zhōngxīn dàgài zhǐ yào bàn gè xiǎoshí. Luójié cháng gēn
地 铁 去 市 中 心 大 概 只 要 半 个 小 时。罗 杰 常 跟
péngyou yìqǐ qù shì zhōngxīn cānguān bówùguǎn, kàn diànyǐng.
朋 友 一 起 去 市 中 心 参 观 博 物 馆、 看 电 影。

Zuìjìn, zài gōngyù de xīběibian xīn kāile yì jiā Sìchuān fànguǎn,
最 近， 在 公 寓 的 西 北 边 新 开 了 一 家 四 川 饭 馆，
yīnwèi Luójié bú tài xǐhuan chī là de, suǒyǐ hái méi qùguò nà ge
因 为 罗 杰 不 太 喜 欢 吃 辣 的，所 以 还 没 去 过 那 个
fànguǎn. Xià zhōuwǔ shì tā de tóngxué Ānnà de shēngrì, tāmen yào
饭 馆。下 周 五 是 他 的 同 学 安 娜 的 生 日， 他 们 要
qù nàli chī wǎnfàn.
去 那 里 吃 晚 饭。

（ zìshù: èrbǎi wǔshíbā ）
（ 字数： 2 5 8 ）

(1) Read the short passage above. Decide if each of the following statements is True/False/Not mentioned by circling the correct option.

1) Roger came to Beijing in September this year.

    a. True   b. False   c. Not mentioned

2) Roger doesn't walk to school every day.

    a. True   b. False   c. Not mentioned

3) Roger often drinks coffee or tea in the library's café.

    a. True   b. False   c. Not mentioned

4) Roger has never been to that newly opened Chinese restaurant.

    a. True   b. False   c. Not mentioned

5) There is a small park behind the apartment.

    a. True   b. False   c. Not mentioned

(2) Read the short passage above again, and then circle the correct answers to the questions according to the information in the passage.

1) How long has Roger been living Beijing?

    a. 18 months   b. 12 months   c. 6 months

2) Which activities does Roger not do in the city centre?

    a. visit museums   b. watch movies   c. go to parks

3) What kind of transportation is not near Roger's apartment?

    a. underground   b. train   c. bus

4) Why is Roger going to the restaurant to have dinner next Friday?

    a. He likes spicy food.

    b. He likes Chinese food.

    c. It is his friend's birthday.

5) Where is the library located?

    a. In front of the apartment.

    b. Behind the apartment.

    c. Between the park and the apartment.

2. Using Language

(1) Fill in the blanks with the words given; each word can only be used once.

a. 去 qù	b. 在 zài	c. 离 lí	d. 有 yǒu	e. 到 dào

Nǐmen xuéxiào _____ dìtiězhàn yuǎn bù yuǎn?

1) 你们 学校 _____ 地铁站 远 不 远?

Cóng wǒ jiā _____ fēijīchǎng kāi chē yào yí gè xiǎoshí.

2) 从 我家_____ 飞机场 开车要一个小时。

Zǐngwèn, _____ Dàyīng Túshūguǎn zěnme zǒu?

3) 请 问, _____ 大 英 图 书 馆 怎 么 走?

Dìtiězhàn jiù _____ shūdiàn de pángbiān.

4) 地铁站 就 _____ 书店 的 旁 边。

Wǒ jiā fùjìn _____ yí gè hěndà de chāoshì.

5) 我 家附近 _____ 一个很大 的 超市。

(2) Circle the correct sentence according to the English meaning.

1) Would you like to drink tea or coffee?

Nǐ xiǎng hē chá hé kāfēi ma?

a. 你 想 喝茶和咖啡吗?

Nǐ xiǎng hē chá huòzhě kāfēi ma?

b. 你 想 喝茶 或 者 咖啡 吗?

Nǐ xiǎng hē chá háishi hē kāfēi?

c. 你 想 喝茶 还是 喝咖啡?

2) How do you go to school every day?

Nǐ zěnme qù xuéxiào měi tiān?

a. 你 怎 么 去学校 每天?

Nǐ měi tiān zěnme qù xuéxiào?

b. 你 每 天 怎么去学校?

Nǐ měi tiān zěnme lái xuéxiào?

c. 你 每 天 怎 么 来 学 校?

3) Excuse me, how do I get to the Beijing Hotel?

Qǐngwèn qù Běijīng Fàndiàn zěnme qù?

a. 请 问 去北京 饭店 怎么 去?

Qǐngwèn qù Běijīng Fàndiàn zěnme zǒu?

b. 请 问 去北京 饭店 怎么 走?

Qǐngwèn zěnyàng wǒ kěyǐ zǒu dào Běijīng fàndiàn?

c. 请 问 怎 样 我 可以 走 到 北京 饭店?

4) Have you been to Shanghai before?

Nǐ qùguò Shànghǎi ma?

a. 你 去过 上 海吗?

Nǐ qù Shànghǎi le ma?

b. 你 去 上 海 了吗?

Nǐ qùle Shànghǎi ma?

c. 你 去了 上 海 吗?

5) Where did you buy this book?

Zài nǎr nǐ mǎi zhè běn shū?

a. 在 哪儿你 买 这 本 书?

Zhè běn shū nǐ zài nǎr mǎi?
b. 这 本 书 你 在 哪儿 买?

Zhè běn shū shì zài nǎr mǎi de?
c. 这 本 书 是 在 哪儿 买 的?

(3) Make sentences by re-arranging the words given.

chī / Běijīng kǎoyā / méi / hái / wǒ / guò /.
1) a. 吃 / b. 北京烤鸭 / c. 没 / d. 还 / e. 我 / f. 过 /。

_____

dàxué / zài / wǒmen / xīběibian / Běijīng de /.
2) a. 大学 / b. 在 / c. 我们 / d. 西北边 / e. 北京的 /。

_____

wǒ / le / jiǔbā / hē / qù / píjiǔ / zuó wǎn /.
3) a. 我 / b. 了 / c. 酒吧 / d. 喝 / e. 去 / f. 啤酒 / g. 昨 晚 /。

_____

shì / de / shénme shíhou / nà jiàn / mǎi / dàyī /?
4) a. 是 b. 的 / c. 什么时候 / d. 那 件 / e. 买 / f. 大衣 / ?

_____

dào Shànghǎi / cóng / zuò fēijī / Běijīng / liǎng gè xiǎoshí / dàgài /.
5) a. 到上海 / b. 从 / c. 坐飞机 / d. 北京 / e. 两个小时 / f. 大概 /。

_____

Lesson 25 Weather

Tiānqì
天气

 Key sentences

1. 今天天气怎么样?　　　　　Jīntiān tiānqì zěnmeyàng?

2. 今天多少度?　　　　　　　Jīntiān duōshao dù?

3. 今天比昨天热。　　　　　　Jīntiān bǐ zuótiān rè.

4. 上海冬天没有北京冬天冷。　Shànghǎi dōngtiān méiyǒu Běijīng
　　　　　　　　　　　　　　dōngtiān lěng.

5. 北京冬天是不是跟纽约冬天一样?　Běijīng dōngtiān shì bú shì gēn
　　　　　　　　　　　　　　Niǔyuē dōngtiān yíyàng?

 New words

1.	天气	tiānqì	n	*weather*
2.	热	rè	adj	*hot*
3.	度	dù	n	*degree*
4.	比	bǐ	v/prep	*compare, than*
5.	预报	yùbào	n	*forecast*
6.	阴天	yīntiān	n	*cloudy day*
7.	雨	yǔ	n	*rain*
8.	小雨	xiǎoyǔ	n	*drizzle, light rain*

9. 四季	sìjì	n	*four seasons*
10. 一样	yíyàng	adj	*same, the same as*
11. 夏天	xiàtiān	n	*summer*
12. 冬天	dōngtiān	n	*winter*
13. 冷	lěng	adj	*cold*
14. 春天	chūntiān	n	*spring*
15. 秋天	qiūtiān	n	*autumn*
16. 暖和	nuǎnhuo	adj	*warm*
17. 干燥	gānzào	adj	*dry*
18. 刮风	guāfēng	v-o	*be windy*
19. 下	xià	v	*fall, come down*
20. 下雪	xià xuě	v-o	*snow*
21. 雪	xuě	n	*snow*
22. 有时候	yǒushíhou	adv	*sometimes*
23. 差不多	chàbuduō	adv	*almost, nearly, more or less*
24. 广州	Guǎngzhōu	p.n	*name of a city in China*
25. 纽约	Niǔyuē	p.n	*name of a city in the USA*

Dialogues

(1)

(Talking about weather)

A: Jīntiān tiānqì zěnmeyàng ?
今天 天 气 怎 么 样?

What's the weather like today?

B: Hěn rè.
很 热。

It's very hot.

A: Jīntiān duōshao dù ?
今天 多 少 度?

What's the temperature today?

B: Sānshísān dù. Jīntiān bǐ
三 十 三 度。今天 比

zuótiān rè.
昨 天 热。

33℃ . *Today is hotter than yesterday.*

A: Míngtiān ne ?
明 天 呢？

What about tomorrow?

B: Tiānqì yùbào shuō, míngtiān
天 气 预 报 说， 明 天

yīntiān, yǒu xiǎoyǔ.
阴 天， 有 小 雨。

The weather forecast said that tomorrow will be cloudy with light rain.

(2)

(Talking about seasons)

A: Běijīng de sìjì yíyàng ma ?
北 京 的四季 一样 吗？

Are the four seasons all the same in Beijing?

B: Bù yíyàng. Xiàtiān hěn rè,
不 一 样。夏 天 很 热，

Dōngtiān hěn lěng.
冬 天 很 冷。

They are not the same. In summer it is very hot, and in winter it is very cold.

A: Chūntiān hé qiūtiān ne ?
春 天 和秋 天 呢？

What about spring and autumn?

B: Chūntiān nuǎnhuo, kěshì
春 天 暖 和，可是

gānzào, qiūtiān zuì hǎo.
干 燥， 秋 天 最 好。

The spring is warm, but very dry. The autumn is the best time.

A: Wèishénme ?
为 什 么？

Why?

B: Qiūtiān bù lěng bú rè,
秋 天 不 冷 不 热，

bù guā fēng yě bú xià xuě.
不 刮 风 也 不 下 雪。

The autumn is neither hot nor cold, and it is neither windy nor snowy.

(3)

(Comparing the weather in different places)

A: Shànghǎi dōngtiān lěng bù lěng ?
上　海　冬　天　冷　不　冷?

Is it cold in Shanghai in winter?

B: Shànghǎi dōngtiān méiyǒu
上　海　冬　天　没　有

Běijīng dōngtiān lěng.
北　京　冬　天　冷。

Shanghai's winter is not as cold as Beijing's.

A: Xiàtiān ne ?
夏　天　呢?

What about in summer?

B: Méiyǒu Guǎngzhōu xiàtiān rè.
没　有　广　州　夏　天　热。

It's not as hot as Guangzhou's.

(4)

(Comparing the weather in different places)

A: Běijīng dōngtiān shì bú shì
北　京　冬　天　是　不　是

gēn Niǔyuē dōngtiān yíyàng ?
跟　纽　约　冬　天　一　样?

Is Beijing's winter the same as New York's?

B: Yíyàng, dōu hěn lěng,
一　样，都　很　冷，

yǒushíhou xià xuě.
有　时　候　下　雪。

Yes, both cities are very cold in winter, and it snows sometimes.

A: Xiàtiān ne ?
夏　天　呢?

What about in summer?

B: Chàbuduō, dōu hěn rè.
差　不　多，都　很　热。

Similar. Both cities are very hot.

Language Points

1. Comparison using 比 bǐ

The pattern is: A + 比 bǐ + B + Adjective. For example:

Jīntiān bǐ zuótiān rè.
1) 今天 比 昨天 热。   *Today is hotter than yesterday.*

Wǒ dìdi bǐ wǒ gāo.
2) 我 弟弟 比 我 高。   *My younger brother is taller than me.*

2. Negative comparison using 没有 méiyǒu

The pattern is: A + 没有 méiyǒu + B + Adjective. For example:

Jīntiān méiyǒu zuótiān rè.
1) 今天 没有 昨天 热。   *Today is not as hot as yesterday.*

Rìběn méiyǒu Éluósī dà.
2) 日本 没有 俄罗斯大。   *Japan is not as big as Russia.*

3. Comparison using 一样 yíyàng

The pattern is: A + 跟 gēn / 和 + B + (不 bù) 一样 yíyàng + Adjective. For example:

Wǒ mèimei hé wǒ yíyàng gāo.
1) 我 妹 妹 和 我 一样 高。   *My sister is the same height as me.*

Zhè běn shū gēn nà běn shū
2) 这 本 书 跟 那 本 书   *This book is not the same as that one.*

bù yíyàng.
不 一 样。

4. Weather related verbs 下 xià and 刮 guā

Table 27. Phrases related to 下 and 刮

Verb	Adjective	Noun	Meaning
下 xià come down, fall (rain, snow)	小 xiǎo	雨 yǔ	*drizzle, light rain*
		雪 xuě	*light snow*
	大 dà	雨 yǔ	*heavy rain*
		雪 xuě	*heavy snow*
刮 guā blow (the wind)	小 xiǎo	风 fēng	*breeze, light wind*
	大 dà	风 fēng	*strong wind*
	台 tái	风 fēng	*typhoon*

Exercises

1. Choose the appropriate words or phrases to fill in the blanks.

Qí zìxíngchē _____ zǒulù kuài.
1) 骑 自 行 车 _____ 走路 快 。

　　a. 比 bǐ　　　　　　　　b. 跟 gēn

Tā de cídiǎn gēn _____ bù yíyàng.
2) 他 的 词 典 跟 _____ 不一样 。

　　a. 词典 cídiǎn　　　　　b. 我的词典 wǒ de cídiǎn

Zhè běnshū _____ nà běn shū guì.
3) 这 本 书 _____ 那 本 书 贵 。

　　a. 一样 yíyàng　　　　b. 没有 méiyǒu

Jīntiān hé _____ yíyàng _____.
4) 今 天 和 _____ 一样 _____ 。

　　a. 昨天 zuótiān / 热 rè　　b. 明天 míngtiān / 下雪 xià xuě

Zhè zhāng dìtú _____ nà zhāng dìtú _____.
5) 这 张 地 图 _____ 那 张 地 图 _____ 。

　　a. 比 bǐ / 大 dà　　　　　b. 跟 gēn / 大 dà

2. Translate the following sentences into English.

Jīnnián dōngtiān Fǎguó de xuě hěn dà.
1) 今 年 冬 天 法 国 的 雪 很 大 。

2) 昨天 的气温是二十二度。
Zuótiān de qìwēn shì èrshí'èr dù.

3) 今年冬天 常 常 下雪,比去年 冬天 冷。
Jīnnián dōngtiān chángcháng xià xuě, bǐ qùnián dōngtiān lěng.

4) 广 州的 春天 最好,不冷不热,非常 暖和。
Guǎngzhōu de chūntiān zuì hǎo, bù lěng bú rè, fēicháng nuǎnhuo.

5) 天气预报说, 明 天 阴天,有 小 到 中雨。
Tiānqì yùbào shuō, míngtiān yīntiān, yǒu xiǎo dào zhōngyǔ.

3. Write comparative sentences for the following by using the negative format.

1) 飞机很 快,火车不快。
Fēijī hěn kuài, huǒchē bú kuài.

2) 我 爸爸很 忙,每天七点下班,我妈妈 五点 就下班了。
Wǒ bàba hěn máng, měi tiān qī diǎn xiàbān, wǒ māma wǔ diǎn jiù xiàbān le.

3) 昨天 下小 雨,今天 下大雨。
Zuótiān xià xiǎo yǔ, jīntiān xià dà yǔ.

4) 北京 冬 天 很 冷,气温 常 常 是 0℃, 广 州 冬 天
气温 大概是10℃ 左右。
Běijīng dōngtiān hěn lěng, qìwēn chángcháng shì líng dù, Guǎngzhōu dōngtiān qìwēn dàgài shì shí dù zuǒyòu.

5) 今天 二十五度,昨天 三十一度。
Jīntiān èrshíwǔ dù, zuótiān sānshíyī dù.

4. Translate the following sentences into Chinese.

1) What is the weather like in London in the winter?

2) Does it often rain in the summer in Beijing?

3) Is there snow in Guangzhou?

4) What was the temperature yesterday?

5) How heavy was the rain yesterday?

5. Listening Comprehension

Choose the correct answer according to the short dialogues.

1) a. not too cold   b. not too hot   c. neither hot nor cold

2) a. 21 degrees   b. 22 degrees   c. 23 degrees

3) a. colder   b. hotter   c. the same

4) a. snow   b. windy   c. often raining

5) a. drizzling   b. heavy rain   c. won't be raining

6. Classroom Activities

Describe and compare two countries' weather conditions with your classmates.

7. Learning Chinese Characters

春								
夏								
秋								
冬								

Lesson 26 Ongoing Activities

Huódòng jìnxíng zhōng

活 动 进行 中

Key sentences

1. 她在做什么呢?   Tā zài zuò shénme ne?
2. 她在用微信聊天呢。   Tā zài yòng wēixìn liáotiān ne.
3. 我去的时候，高朋正在看电视。 Wǒ qù de shíhou, Gāo Péng zhèng
                                      zài kàn diànshì.
4. 你在干什么?   Nǐ zài gàn shénme?
5. 你等一会儿再打电话吧。   Nǐ děng yíhuìr zài dǎ diànhuà ba.

New words

1. 在   zài   adv   *indicating action in progress*
2. 聊天   liáotiān   v-o   *chat*
3. 好像   hǎoxiàng   v   *seem, look like*
4. 同学   tóngxué   n   *classmate*
5. ……的时候   …de shíhou   i.e   *when, while*
6. 正在   zhèngzài   adv   *in the process of*
7. 推特   tuītè   n   *Twitter*
8. 电视   diànshì   n   *television*
9. 干   gàn   v   *do*

10. 正	zhèng	adv	*just (doing something)*
11. 报纸	bàozhǐ	n	*newspaper*
12. 报	bào	n	*report, newspaper*
13.《人民日报》	《Rénmín Rìbào》	p.n	*People's Daily (newspaper)*
14. 人民	rénmín	n	*people*
15. 日报	rìbào	n	*daily newspaper*
16. 海外版	hǎiwàibǎn	n	*overseas edition*
17. 海外	hǎiwài	n	*overseas, abroad*
18. 版	bǎn	n	*edition*
19. 当然	dāngrán	adv	*of course*
20. 不过	búguò	conj	*but, however*
21. 难	nán	adj	*difficult, hard*
22. 开会	kāihuì	v-o	*hold or attend a meeting*
23. 一会儿	yíhuìr	adv	*a little while, in a moment*

Dialogues

(1)

(Describing an ongoing activity)

A: Nǐ hǎo! Xiǎoyù zài jiā ma?　　　　*Hello, is Xiaoyu at home?*
你好！小玉在家吗？

B: Zài, qǐng jìn ba.　　　　*Yes, she is. Come in please.*
在，请进吧。

A: Tā zài zuò shénme ne?　　　　*What is she doing now?*
她在做什么呢？

B: Tā zài yòng wēixìn liáotiān ne.
她 在 用 微信 聊天 呢。

She is chatting on WeChat.

A: Gēn shuí liáotiān?
跟 谁 聊天?

Who is she chatting with?

B: Hǎoxiàng shì gēn tā de dàxué
好 像 是 跟 她的 大学

tóngxué.
同 学。

It seems she is chatting with her university classmate.

(2)

(Talking about ongoing actions)

A: Zuótiān wǎnshang nǐ qù nǎr le?
昨 天 晚 上 你 去 哪儿了?

Where did you go last night?

B: Wǒ qù Xiǎoyù hé Gāo Péng de
我 去 小 玉 和 高 朋 的

gōngyù le.
公 寓 了。

I went to Xiaoyu and Gao Peng's apartment.

A: Tāmen dōu zài ma?
他 们 都 在 吗?

Were they both in?

B: Zài. Wǒ qù de shíhou, Xiǎoyù
在。我 去 的 时 候, 小 玉

zhèngzài kàn tuītè, Gāo Péng
正 在 看 推特, 高 朋

zhèngzài kàn diànshì.
正 在 看 电 视。

Yes, when I got there, Xiaoyu was on Twitter, and Gao Peng was watching TV.

(3)

(Talking about ongoing actions)

A: Fāng Lán, nǐ zài gàn shénme?
方 兰, 你 在 干 什么?

Hi, Fang Lan, what are you doing now?

B: Wǒ zhèng kàn bàozhǐ ne.
我 正 看 报纸 呢。

I am reading a newspaper.

A: Shénme bàozhǐ?
什 么 报纸?

What newspaper?

B: 《Rénmín Rìbào》hǎiwàibǎn.
《人 民 日报》海 外 版。

'People's Daily' overseas edition.

A: Shénme? Shì Zhōngwén de ma?
什 么? 是 中 文 的 吗?

What? Is it in Chinese?

B: Dāngrán. Búguò fēicháng nán!
当 然。 不 过 非 常 难!

Of course, but it's very difficult to read!

(4)

(Describing progression)

A: Mǎ jīnglǐ zài ma?
马 经理 在 吗?

Is Manager Ma in?

B: Zài. Kěshì tā zhèngzài kāihuì.
在。可是他 正 在 开会。

Nǐ yǒu shì ma?
你 有 事 吗?

Yes, he is. But he is in a meeting. Is there anything I can do for you?

A: Wǒ xiǎng wèn yíxià wǒmen qù
我 想 问一下我 们 去

Zhōngguó de shíjiān.
中 国 的 时间。

Yes. I'd like to ask about the date when we are going to China.

B: Nà nǐ děng yíhuìr zài dǎ diànhuà
那 你 等 一会儿再 打 电 话

hǎo ma?
好 吗?

In that case, can you call him later?

Language Points

1. Ongoing action

To indicate ongoing action, the adverb 正 zhèng, 在 zài or 正在 zhèngzài, is used before a verb. The pattern is: Subject+ 正 zhèng／在 zài／正在 zhèngzài+ Verb + O + (呢 ne). For example:

1) Nǐ zài zuò shénme ?
   你 在 做 什 么?
   What are you doing now?

2) Wǒ zhèng kàn diànshì ne.
   我 正 看 电视呢。
   I am watching TV right now.

3) Wǒmen zhèngzài shàngkè.
   我们 正 在 上 课。
   We are having a lesson right now.

2. ……的时候 de shíhou means 'while' or 'when'. It often links two actions or situations. For example:

1) Wǒ qù tā jiā de shíhou, tā zhèng
   我 去他家的 时候,他 正
   dǎ diànhuà ne.
   打 电 话 呢。
   He was on the phone when I went to his house.

2) Tā lái de shíhou, wǒ zhèngzài
   她来的时候, 我 正 在
   chī wǎnfàn.
   吃 晚 饭。
   When she came I was having dinner.

3. 一会儿 yíhuìr means 'a little while' or 'in a short while'. It is only related to actions. For example:

1) Wǒmen zài zhèr zuò yíhuìr ba.
   我 们 在 这儿坐 一会儿吧。
   Let's sit here for a while.

2)　我们　看一会儿电视吧。　　　　　　*Let's watch TV for a little while.*

Wǒmen kàn yíhuìr diànshì ba.

4. 干 gàn and 做 zuò

Both mean 'to do', but 做 zuò can mean 'to make', and 干 gàn can't. Therefore, sometimes these two words cannot be exchanged. For example:

1)　A：你在干什么呢?　　　　　　　　*What are you doing now?*

Nǐ zài gàn shénme ne ?

　　B：我　正在做功课。　　　　　　　*I am doing my homework right now.*

Wǒ zhèngzài zuò gōngkè.

2)　他来的时候，我　正在　　　　　　　*When he came I was cooking.*

Tā lái de shíhou，wǒ zhèng zài

　　做饭。

zuòfàn.

Exercises

1. Use lines to join the suitable phrases together.

1)　做 zuò	a. 很难 hěn nán
2)　干 gàn	b. 开会 kāi huì
3)　写 xiě	c. 饭 fàn
4)　明天 míngtiān	d. 什么 shénme
5)　中文报纸 Zhōngwén bàozhǐ	f. 推特 tuītè

2. Choose the correct answer to complete the following sentences.

1) 我去北京_____是冬天，天气很冷。

Wǒ qù Běijīng _____ shì dōngtiān, tiānqì hěn lěng.

　　a. 时候 shíhou　　　　b. 有时候 yǒushíhou　　　　c. 的时候 de shíhou

2) 周末早上我_____去健身房，_____去公园。

Zhōumò zǎoshang wǒ _____ qù jiànshēnfáng, _____ qù gōngyuán.

　　a. 时候 shíhou　　　　b. 有时候 yǒushíhou　　　　c. 的时候 de shíhou

3) 现在我想跟朋友玩儿_____电子游戏。

Xiànzài wǒ xiǎng gēn péngyou wánr _____ diànzǐ yóuxì.

　　a. 一点儿 yìdiǎnr　　　　b. 一会儿 yíhuìr　　　　c. 有点儿 yǒudiǎnr

4) 我能试_____这件大衣吗?

Wǒ néng shì _____ zhè jiàn dàyī ma?

　　a. 一点儿 yìdiǎnr　　　　b. 一会儿 yíhuìr　　　　C. 一下儿 yíxiàr

Wǒ huì shuō Yīngyǔ hé Fǎyǔ, hái huì shuō _____ Hànyǔ.
5) 我 会 说 英 语 和 法 语, 还 会 说 _____ 汉 语。

    a. 一点儿 yìdiǎnr   b. 一会儿 yíhuìr   c. 有点儿 yǒudiǎnr

3. Translate the following sentences into English.

Kàn diànshì de shíhou, wǒ xǐhuan hē kāfēi.
1) 看 电 视 的 时候, 我 喜 欢 喝 咖啡。

Tā lái wǒ jiā de shíhou, wǒ zhèngzài kàn shū.
2) 他 来 我 家 的 时候, 我 正 在 看 书。

Běijīng de dōngtiān hěn lěng, yòu guā fēng yòu xià xuě, yǒu shíhou xuě hěn dà.
3) 北 京 的 冬 天 很 冷, 又 刮 风 又 下 雪, 有 时候 雪 很 大。

Wǒ qù bàngōngshì de shíhou, Lín mìshū zhèngzài jiē diànhuà.
4) 我 去 办 公 室 的 时候, 林 秘 书 正 在 接 电 话。

Wǒ shàng dàxué de shíhou hěn xǐhuan dǎ wǎngqiú.
5) 我 上 大学 的 时候 很 喜 欢 打 网 球。

4. Translate the following sentences into Chinese.

1) What are you doing now?
2) I am writing an email to my friend.
3) She is making a phone call now.
4) They are having lunch at the moment.
5) When he came I was reading a newspaper.

5. Listening Comprehension

Choose the correct answer according to the short dialogues.

1) a. watch TV   b. read a book   c. watch a film

2) a. send email   b. check email   c. chat on the Internet

3) a. have dinner   b. cook dinner   c. cook breakfast

4) a. bookshop   b. supermarket   c. shopping

5) a. at a friend's home   b. in the shop   c. on the train

6. Classroom Activities

Work in pairs: Talk to your classmate and find out each other's ongoing activities or events. Please use the pattern: 在 zài + verb.

7. Learning Chinese Characters

正									
在									
开									
会									

 **Intentions**

Jìhuà

计划

Key sentences

1. 你要去中国了，是吗？   Nǐ yào qù Zhōngguó le, shì ma?
2. 你去那儿做什么？   Nǐ qù nàr zuò shénme?
3. 快放假了，放假以后你打算   Kuài fàngjià le, fàngjià yǐhòu nǐ
   做什么？   dǎsuan zuò shénme?
4. 先去北京学汉语，然后在中   Xiān qù Běijīng Xué Hànyǔ, ránhòu
   国找工作。   zài Zhōngguó zhǎo gōngzuò.
5. 他们以前来过吗？   Tāmen yǐqián láiguò ma?

New words

1.	老板	lǎobǎn	n	boss
2.	派	pài	v	send, appoint, assign
3.	分公司	fēngōngsī	n	branch company
4.	放假	fàngjià	v-o	have a holiday or vacation
5.	以后	yǐhòu	adv	after, later
6.	旅行	lǚxíng	v	travel
7.	东北	dōngběi	l.w	northeast
8.	初	chū	n	the beginning of, the early part of
9.	回来	huílái	v	come back
10.	底	dǐ	n	end (of the month, year)

11. 毕业	bìyè	v	graduate
12. 先	xiān	adv	first
13. 然后	ránhòu	conj	then, after
14. 主意	zhǔyi	n	idea
15. 度假	dùjià	v-o	go on holiday
16. 以前	yǐqián	n	before, in the past
17. 第	dì	prefix	indicating ordinal number
18. 次	cì	m.w	times (for verb)
19. 可能	kěnéng	adv	possible, probable
20. 哈尔滨	Hā'ěrbīn	p.n	name of a city in China
21. 长春	Chángchūn	p.n	name of a city in China
22. 大连	Dàlián	p.n	name of a city in China

 **Dialogues**

(1)

(Talking about an imminent activity)

A: Nǐ yào qù Zhōngguó le,
你 要 去 中 国 了,
shì ma?
是 吗?

You are going to China very soon, am I right?

B: Shì a. Wǒ xià yuè qù
是 啊。我 下 月 去
Shànghǎi.
上 海。

Yes, I am going to Shanghai next month.

A: Nǐ qù nàr zuò shénme?
你 去 那儿做 什 么?

What are you going to do there?

B: Wǒ de lǎobǎn pài wǒ qù
我 的 老 板 派 我 去

My boss is sending me to work at the Shanghai branch.

Shànghǎi fēngōngsī gōngzuò.
上 海 分 公 司 工 作。

(2)

(Making travel plans)

A: Kuài fàngjià le. Fàngjià yǐhòu
快 放 假 了。放假 以后

nǐ dǎsuan zuò shénme?
你 打 算 做 什 么?

School holidays will start soon. What are you going to do during the holiday?

B: Qù Zhōngguó lǚxíng.
去 中 国 旅行。

I am going to travel in China.

A: Nǐ xiǎng qù nǎr?
你 想 去 哪儿?

Where do you want to go?

B: Zhōngguó de dōngběi, Hā'ěr-
中 国 的 东 北,哈尔

bīn, Chángchūn hé Dàlián.
滨、 长 春 和 大连。

Harbin, Changchun and Dalian in the northeast of China.

A: Nǐ dǎsuan shénme shíhou qù?
你 打 算 什 么 时 候 去?

When do you intend to go?

B: Qī yuè chū.
七 月 初。

At the beginning of July.

A: Shénme shíhou huílái?
什 么 时候 回来?

When do you come back?

B: Bā yuè dǐ.
八 月 底。

At the end of August.

(3)

(Talking about future plans)

A: Mǎshàng jiùyào bìyè le. Bìyè
马 上 就要 毕业 了。毕业

You will graduate soon. What do you want to do after that?

yǐhòu nǐ xiǎng zuò shénme ?
以后 你 想 做 什么?

B: Xiān qù Běijīng xué Hànyǔ,
先 去 北京 学 汉语,
ránhòu zài Zhōngguó zhǎo
然后 在 中国 找
gōngzuò.
工作。

I'll go to Beijing to learn Chinese first, and then I want to find a job in China.

A: Zhè shì yí gè hǎo zhǔyi !
这是 一个 好 主意!

That's a good idea!

(4)

(Talking about an imminent activity)

A: Nǐ fùmǔ yào lái Yīngguó le ?
你 父母 要 来 英国 了?

Are your parents coming to the UK soon?

B: Duì, lái dùjià.
对, 来 度假。

Yes, they are coming for a holiday.

A: Tāmen yǐqián láiguò ma ?
他们 以前 来 过 吗?

Have they been here before?

B: Méiyǒu, zhè shì dì-yī cì.
没有, 这 是 第一次。

No, this is their first time.

A: Tāmen dǎsuan zhù duō jiǔ ?
他们 打算 住 多久?

How long do they intend to stay?

B: Kěnéng sān gè xīngqī.
可能 三个 星期。

Maybe three weeks.

Language Points

1. 要 yào ... 了 le is used to indicate an imminent action. 快 kuài ... 了 le and 快要 kuàiyào ... 了 le have a similar meaning. For example:

1) Wǒ fùmǔ yào lái Yīngguó le.
   我 父 母 要 来 英 国 了。
   My parents are coming to the UK soon.

2) Tā kuài qù Zhōngguó le.
   他 快 去 中 国 了。
   He is going to China soon.

3) Kuàiyào xià yǔ le.
   快 要 下 雨 了。
   It's about to rain.

2. 初 chū, 中 zhōng and 底 dǐ mean 'the beginning of', 'middle' and 'end of...'. When they are used to express time, particularly the year and month, 年 nián and 月 yuè always precede them.
For example:

Table 28. Combinations with 初 chū, 中 zhōng, 底 dǐ

Time word	Keyword	Meaning
nián / yuè 年 / 月 +	初 chū	*beginning of the year/ month*
	中 zhōng	*middle of the year/month, mid-year/month*
	底 dǐ	*end of the year/month*

3. 先 xiān ... 然后 ránhòu ...

This is a fixed adverb phrase which means 'first ...and then...'. It indicates the order in which things are done. For example:

Zǎoshang wǒ xiān qù pǎobù, ránhòu
早 上 我 先 去 跑 步，然 后
chī zǎofàn.
吃 早 饭。

In the morning, I go jogging first and then have breakfast.

4. 对 duì literally means 'correct', but sometimes it can be translated as 'yes' when answering a question in agreement.

5. 第 dì can be used before numerals to form ordinal numbers. For example:

1) Dì-yī, dì-èr, dì-sān
   第一，第二，第三
   first, second, third

2) Zhè shì wǒ dì-èr cì lái Zhōngguó.
   这 是 我 第二 次 来 中 国。
   This is my second time coming to China.

 **Exercises**

1. Match the following phrases if they are synonymous.

1) 旅行 lǚxíng   a. 大概 dàgài

2) 老板 lǎobǎn   b. 但是 dànshì

3) 打算 dǎsuan   c. 旅游 lǚyóu

4) 可能 kěnéng   d. 经理 jīnglǐ

5) 不过 búguò   e. 计划 jìhuà

2. Fill in the blanks with the words given; each word can only be used once.

a. 让 ràng   b. 派 pài   c. 放假 fàngjià   d. 度假 dùjià   e. 差不多 chàbuduō

Wǒmen xuéxiào měi nián xiàtiān _____ liù gè xīngqī.
1) 我们 学校 每年 夏天 _____ 六个 星期。

Gōngsī _____ wǒ qù Běijīng gōngzuò.
2) 公司 _____ 我去北京 工作。

Tā qù _____ le, dào xiànzài hái méi huílái.
3) 他去 _____ 了,到 现在 还 没 回来。

Wǒ hé wǒ jiějie _____ yíyàng gāo.
4) 我和我姐姐 _____ 一样高。

Wǒ māma bú _____ dìdi xué kāi chē, tā gānggāng shíqī suì.
5) 我妈妈不 _____ 弟弟学开车,他 刚 刚 十七岁。

3. Match the Chinese with the English.

1) 今年年初 jīnnián nián chū   a. in early May

2) 下月月底 xià yuè yuè dǐ   b. the fifth time

3) 五月中 wǔ yuè zhōng   c. at the beginning of this year

4) 五月初 wǔ yuè chū   d. mid-May

5) 第五次 dì-wǔ cì   e. at the end of next month

4. Translate the following sentences into English.

Shèngdàn Jié nǐmen fàngjià jǐ tiān?
1) 圣 诞节你们 放 假几天?

Měi tiān zǎoshang, wǒ xiān qù pǎobù, ránhòu chī zǎocān.
2) 每天 早上, 我 先 去 跑步,然后 吃早餐。

Zhè shì wǒ dì-yī cì lái Shànghǎi, zhèlǐ de rén tài duō le !
3) 这是我第一次来 上 海,这里的人太 多了!

4) 　　Wǒ yǐjīng qùguò Xiānggǎng hěn duō cì le, jīnnián nián dǐ wǒ hái yào qù.
　　我 已 经 去 过 香　港　很 多 次 了,今 年 年 底 我 还 要 去。

5) 　　Tiān yīn le, kuàiyào xià yǔ le.
　　天 阴 了,快 要 下 雨 了。

5. Translate the following sentences into Chinese.

1)　I heard that you are going to China soon.

2)　How long will you stay in China?

3)　What places would you like to visit in China?

4)　When will you go to Beijing?

5)　Where will you stay in Beijing?

6. Listening Comprehension

Circle the correct answer according to the short dialogues.

1)　a. next spring　　　　b. this summer　　　　c. this autumn

2)　a. Beijing　　　　　　b. Shanghai　　　　　c. Guangzhou

3)　a. two weeks　　　　　b. two months　　　　c. three weeks

4)　a. visit a friend　　　　b. take a tour　　　　c. learn Chinese

5)　a. next month　　　　　b. mid next month　　c. end of next month

7. Classroom Activities

Role play: You and your friends would like to go on holiday together. Discuss with them about when you intend to go, where you want to go, how you will get there, etc. You should make a travel plan.

8. Learning Chinese Characters

旅								
游								
度								
假								

Lesson 28　Health

Jiànkāng
健康

Key sentences

1. 你怎么了？ Nǐ zěnme le ?

2. 我不舒服，肚子有点儿疼。 Wǒ bù shūfu, dùzi yǒudiǎnr téng.

3. 今天我病了，不能去上班了。 Jīntiān wǒ bìng le, bù néng qù shàngbān le.

4. 这药怎么吃？ Zhè yào zěnme chī ?

5. 是饭前吃还是饭后吃？ Shì fànqián chī háishi fànhòu chī ?

New words

1. 怎么了　　zěnme le　　q.w　　*What's the matter? What's wrong?*

2. 舒服　　　shūfu　　　adj　　*comfortable*

3. 肚子　　　dùzi　　　n　　*stomach, abdomen*

4. 疼　　　　téng　　　adj　　*painful*

5. 大夫　　　dàifu　　　n　　*doctor*

6. 头疼　　　tóuténg　　n　　*headache*

7. 头　　　　tóu　　　n　　*head*

8. 咳嗽　　　késou　　　v/n　　*cough*

9. 嗓子　　　sǎngzi　　n　　*throat*

10. 发烧　　　fāshāo　　v　　*have a fever/temperature*

11.	昨晚	zuówǎn	n	*last night*
12.	感冒	gǎnmào	v/n	*have a cold*
13.	中药	zhōngyào	n	*Chinese medicine*
14.	西药	xīyào	n	*Western medicine*
15.	病	bìng	v/n	*sick, ill*
16.	看病	kànbìng	i.e	*see a doctor*
17.	休息	xiūxi	v	*rest*
18.	好好	hǎohǎo	i.e	*properly*
19.	别	bié	adv	*don't, better not*
20.	药	yào	n	*medicine*
21.	片	piàn	m.w	*for tablet, pill*
22.	饭前	fànqián	i.e	*before a meal*
23.	饭后	fànhòu	i.e	*after a meal*

 **Dialogues**

(1)

(Taking sick leave)

A: Jīntiān wǒ bù néng qù shàng
今天 我 不 能 去 上

    kè le.
课 了。

I won't be able to attend class.

B: Nǐ zěnme le ?
你 怎么 了?

What's the matter?

A: Wǒ bù shūfu, dùzi yǒudiǎnr téng.
我 不 舒服,肚子 有点儿 疼。

I am feeling unwell. My stomach hurts.

B: Kàn yīshēng le ma ?
看 医生 了 吗?

Have you seen a doctor?

A: Hái méiyǒu. Jīntiān xiàwǔ
还 没 有。今天 下午

wǒ qù yīyuàn.
我 去 医 院。

No, I haven't. I will go to hospital this afternoon.

(2)

(Seeing a doctor)

A: Dàifu, wǒ tóuténg、késou,
大夫， 我 头 疼、咳 嗽，

sǎngzi yě téng.
嗓 子 也 疼。

Doctor, I've got a headache, cough and sore throat.

B: Fāshāo ma？
发 烧 吗?

Do you have a temperature?

A: Zuówǎn yǒu yìdiǎnr.
昨 晚 有 一点儿。

Last night it was a little high.

B: Duōshao dù？
多 少 度?

What was the temperature?

A: Sānshíqī dù bā.
三 十七 度 八。

37.8 Degrees Celsius.

B: Nǐ kěnéng gǎnmào le, xiǎng chī
你 可 能 感 冒 了，想 吃

zhōngyào háishi xīyào？
中 药 还是西药?

You probably have a cold. Would you prefer Chinese medicine or Western medicine?

A: Zhōngyào.
中 药。

Chinese herbal medicine.

(3)

(Taking sick leave)

A: Mǎ jīnglǐ, jīntiān wǒ bìng le,
马 经理，今天 我 病 了，

bù néng qù shàngbān le.
不 能 去 上 班 了。

Manager Ma, I'm unwell today and unable to go to work.

B: Nǐ zěnme le? Kànbìng le ma?
你 怎 么 了? 看 病 了 吗?

What's the matter? Have you seen a doctor?

A: Kàn le. Yīshēng ràng wǒ
看 了。医生 让 我

xiūxi jǐ tiān.
休息几天。

Yes, I have. The doctor has asked me to take a few days off.

B: Nà nǐ jiù hǎohǎo xiūxi, bié
那 你 就 好 好 休息，别

lái shàngbān le.
来 上 班 了。

In that case, just take good care of yourself. Don't come in to work.

(4)

(Asking about how to take medicine)

A: Qǐngwèn, zhè yào zěnme chī?
请 问，这 药 怎 么 吃?

Excuse me, how should I take this medicine?

B: Yì tiān sān cì, yí cì liǎng piàn.
一 天 三 次，一 次 两 片。

2 tablets, 3 times a day.

A: Shì fànqián chī háishi fànhòu chī?
是 饭 前 吃 还 是 饭 后 吃?

Do I take them before or after meals?

B: Fànhòu chī.
饭 后 吃。

After meals.

Language Points

1. 怎么了 zěnme le means 'what's the matter?' or 'what's wrong?'. It is often used to ask what's happened. It's different from 怎么样 zěnmeyàng, which is used to ask 'how are things?' or 'what do you think?'.

2. 我头疼 wǒ tóuténg means 'I have a headache'. Notice that in describing an illness, the verb 'to have' is left out. Never say 我有头疼 wǒ yǒu tóuténg or 我是头疼 wǒ shì tóuténg. For example:

Wǒ yáténg.
1) 我 牙疼。   *I have a toothache.*

Wǒ wèiténg.
2) 我 胃疼。   *I have stomachache.*

Jīntiān wǒ bù shūfu.
3) 今天 我 不 舒服。   *I am unwell today.*

3. 我感冒了 wǒ gǎnmào le means 'I have a cold', or 'I have caught a cold'. In Chinese, certain verbs or verb phrases often end with 了 to indicate something has already happened, such as 病 bìng (be ill), 丢 diū (lose), 忘 wàng (forget), etc. For example:

Bìng le : Tā bìng le.
1) 病 了 : 他 病 了。   *He is sick. (He has fallen ill).*

Diū le : Wǒ de shū diū le.
2) 丢 了 : 我 的 书 丢 了。   *I lost my book.*

Wàng le : Wǒ wàngle nǐ de
3) 忘 了 : 我 忘 了你的   *I've forgotten your phone number.*

diànhuà hàomǎ.
电 话 号 码。

4. 好好 hǎohǎo + Verb: This structure indicates doing something properly, nicely or carefully. For example:

Yīshēng ràng tā hǎohǎo xiūxi.
1) 医 生 让 他 好 好 休息。   *The doctor told him to take a good rest.*

Nǐ yīnggāi hǎohǎo xuéxí.
2) 你 应 该 好 好 学习。   *You should study hard.*

Wǒ yào hǎohǎo xiǎngxiang.
3) 我 要 好 好 想 想。   *I need to think it over carefully.*

1. Match the Chinese with the English.

1) 感冒 gǎnmào   a. headache

2) 头疼 tóuténg   b. have a temperature

3) 胃疼 wèiténg   c. cough

4) 咳嗽 késou   d. have a cold

5) 发烧 fāshāo   e. stomachache

6) 怎么了 zěnme le   f. How to go to (somewhere)?

7) 怎么样 zěnmeyàng   g. How much?

8) 怎么去 zěnme qù   h. What's the matter?

9) 怎么走 zěnme zǒu   i. How to get to (a place)?

10) 怎么卖 zěnme mài   j. How are things?

2. Use lines to join the suitable phrases together.

1) 好好 hǎohǎo   a. 有点儿贵 yǒudiǎnr guì

2) 去医院 qù yīyuàn   b. 有点儿发烧 yǒudiǎnr fāshāo

3) 感冒了 gǎnmào le   c. 有点儿冷 yǒudiǎnr lěng

4) 这个药 zhè ge yào   d. 休息 xiūxi

5) 下雪了 xià xuě le   e. 看病 kànbìng

3. Translate the following sentences into English.

Nǐ zěnme le? Nǎr bù shūfu?
1) 你 怎么 了？哪儿不 舒服？

Nǐ shì bú shì gǎnmào le? Fāshāo ma?
2) 你是不是 感冒 了？发烧 吗？

Nǐ xiǎng shénme shíhou qù yīyuàn kànbìng?
3) 你想 什么 时候 去 医院 看病？

Nǐ xiǎng chī zhōngyào háishi xīyào?
4) 你想 吃 中药 还是 西药？

Zhè ge yào yì tiān chī jǐ cì? Zěnme chī?
5) 这 个 药一天 吃几次？怎么 吃？

4. Translate the following sentences into Chinese.

1) I am not feeling very well today.

2) I have got a slight headache.

3) You should go to the hospital to see a doctor.

4) I have a cold and am unable to go to work.

5) My doctor has told me that I should rest a few days.

5. Listening Comprehension

Choose the correct answer according to the short dialogues.

1) a. stomachache   b. have a fever   c. have a cold

2) a. stomachache   b. headache   c. sore throat

3) a. 38.3   b. 38.5   c. 38.7

4) a. one   b. two   c. three

5) a. three times a day after meals

    b. three times a day before meals

    c. twice a day in the morning and evening

6. Classroom Activities

Role play: You are unwell and go to see a doctor. Describe your illness to the doctor. Another student will play the part of a doctor.

7. Learning Chinese Characters

感								
冒								
发								
烧								

Lesson 29 Compliments & Wishes

Zànmĕi yŭ zhùyuàn

赞美与祝愿

Key sentences

1. 你的汉语说得真流利！　　Nǐ de Hànyǔ shuō de zhēn liúlì !
2. 哪里哪里，您过奖了。　　Nǎli nǎli，nín guòjiǎng le.
3. 难怪你说得那么好！　　Nánguài nǐ shuō de nàme hǎo !
4. 你怎么写得这么好？　　Nǐ zĕnme xiĕ de zhème hǎo ?
5. 听说你网球打得不错。　　Tīngshuō nǐ wǎngqiú dǎ de búcuò.

New words

1.	得	de	pt	*verb complement marker*
2.	流利	liúlì	adj	*fluent*
3.	哪里哪里	nǎli nǎli	i.e	*you're too kind, you flatter me*
4.	过奖	guòjiǎng	v	*overpraise, flatter*
5.	难怪	nánguài	adv	*no wonder*
6.	那么	nàme	adv	*so, like that, in that case*
7.	这么	zhème	adv	*so, such, like this*
8.	只有	zhǐyǒu	adv	*only, have to*
9.	办法	bànfǎ	n	*way, means, method*
10.	练	liàn	v	*practise, drill*
11.	祝	zhù	v	*wish, hope*
12.	快乐	kuàilè	adj	*happy, merry, joyful*

13. 健康	jiànkāng	adj/n	*healthy, sound, health*
14. 幸福	xìngfú	n/adj	*happiness, happy*
15. 好运	hǎoyùn	n	*good luck*
16. 干杯	gānbēi	i.e	*cheers (proposing a toast)*
17. 一切	yíqiè	pron	*everything, all*
18. 顺利	shùnlì	adj	*smooth, successful*
19. 祝愿	zhùyuàn	n/v	*wish, hope for*
20. 北京大学	Běijīng Dàxué	p.n	*Peking University (in China)*

 **Dialogues**

(1)

(Making comments)

A: Nǐ de Hànyǔ shuō de zhēn liúlì !
你的 汉语 说 得 真 流利!

You speak Chinese very fluently!

B: Nǎli nǎli, nín guòjiǎng le.
哪里哪里,您 过 奖 了。

Not really, you flatter me.

A: Nǐ shì zài nǎr xué de ?
你 是 在 哪儿学 的?

Where did you learn Chinese?

B: Zài Běijīng Dàxué.
在 北京 大学。

At Peking University.

A: Nánguài nǐ shuō de nàme hǎo !
难 怪 你 说 得 那么 好!

No wonder you speak so well.

(2)

(Describing actions)

A: Nǐ de Hànzì xiě de zhēn piàoliang.
你的 汉字 写 得 真 漂 亮

You write Chinese characters very beautifully.

B: Shì ma ? Xièxie !
是 吗? 谢谢!

Really? Thanks!

A: Nǐ zěnme xiě de zhème hǎo ?
你 怎 么 写 得 这 么 好?

How can you write so well?

B: Zhǐyǒu yí gè bànfǎ, jiùshì
只 有 一 个 办 法，就 是

There is only one way: writing more and practising more.

duō xiě、duō liàn.
多 写、多 练。

(3)

(Blessing and praising)

A: Tīngshuō nǐ wǎngqiú dǎ de
听 说 你 网 球 打 得

I've heard that you play tennis pretty well.

búcuò.
不 错。

B: Nǎli nǎli, nǐ dǎ de yě hěn
哪 里 哪 里，你 打 得 也 很

Not at all, you are too kind. You play very well, too.

hǎo a.
好 啊。

A: Zhōumò wǒmen yìqǐ qù dǎ
周 末 我 们 一 起 去 打

Shall we play tennis this weekend?

wǎngqiú, hǎo ma ?
网 球，好 吗?

B: Tài hǎo le !
太 好 了!

That's great!

(4)

(Blessing and praising)

❖ Xīnnián kuàilè !
新 年 快 乐!

Happy New Year!

❖ Shèngdàn kuàilè !
圣 诞 快 乐!

Merry Christmas!

❖ Zhù nǐ jiànkāng !
祝 你 健 康!

I wish you the best of health!

❖ Zhù nǐ xìngfú !
祝 你 幸福!

I wish you happiness!

❖ Zhù nǐ shēngrì kuàilè !
祝 你 生 日 快乐!

Happy birthday to you!

❖ Zhù nǐ hǎoyùn !
祝 你 好 运!

Good luck!

❖ Zhōumò kuàilè !
周 末 快乐!

Have a nice weekend!

❖ Gānbēi !
干 杯!

Cheers!

❖ Zhù yíqiè shùnlì !
祝 一切 顺利!

All the best!

❖ Zuì hǎo de zhùyuàn !
最 好 的 祝 愿!

Best wishes!

Language Points

1. 得 de is a complement marker in this lesson. In order to make comments on certain actions or movements, we use 得 de to link a verb with an adjective to describe the degree of an action. It's called 得 de structure. Please note, this 得 de is different from the 的 de in 我的 wǒ de (my/mine), and the 得 de must be placed immediately after a verb. The pattern is:

Subject + (Obj.) + Verb + 得 de + (Adv.) + Adj.

For example:

Nǐ de Hànyǔ shuō de zhēn liúlì.
1) 你的 汉语 说 得 真 流利。

You speak Chinese really fluent.

Tā wǎngqiú dǎ de fēicháng hǎo.   *He plays tennis very well.*

2) 他网球打得非常好。

Questions with this structure often use 怎么样 zěnmeyàng or YES/NO question:

Tā Hànyǔ shuō de zěnmeyàng ?   *How is her Chinese speaking?*

1) 她汉语说得怎么样?

Tā wǎngqiú dǎ de hǎo bù hǎo ?   *Does he play tennis well?*

2) 他网球打得好不好?

2. 哪里哪里 nǎli nǎli

A variant form of 哪儿 nǎr is 哪里 nǎli. Traditionally 哪里 nǎli is used as a polite self-deprecating response to praise or flattery, as if to say 'not really' or 'wherever did you get that idea?'. With increasing influence from Westen countries, more and more people just say 谢谢 xièxie in response to a compliment.

3. The adverb 多 duō is placed before a verb to express the idea of 'more action or more practice'. For example:

Wǒmen yīnggāi duō shuō Hànyǔ.   *We should speak more Chinese.*

我们应该多说汉语。

 **Exercises**

1. Use lines to join the suitable phrases together with 得 de.

1) 汉语说 Hànyǔ shuō   a. 很愉快 hěn yúkuài

2) 生日过 shēngrì guò   b. 真漂亮 zhēn piàoliang

3) 方兰跑 Fāng Lán pǎo   c. 很流利 hěn liúlì

4) 网球打 wǎngqiú dǎ   d. 很慢 hěn màn

5) 汉字写 Hànzì xiě   e. 非常好 fēicháng hǎo

2. Translate the following sentences into English.

Nǐ de Yīngyǔ shuō de zěnmeyàng?

1) 你的英语说得怎么样?

Jiékè wǎngqiú dǎ de hǎo bù hǎo?

2) 杰克网球打得好不好?

Zhè ge nánháizi chī de duō bù duō?

3) 这个男孩子吃得多不多?

Shíjiān guò de tài kuài le !

4) 时间过得太快了!

Tā zúqiú tī de fēicháng hǎo.

5) 他足球踢得非常好。

3. Translate the following sentences into Chinese using 得 de.

1) He runs very fast.
2) The student reads slowly.
3) I got up very early this morning.
4) It's raining heavily.
5) The little girl was beautifully dressed.

4. Say the following sentences in Chinese.

1) Happy New Year!
2) Happy Christmas!
3) I wish you a happy birthday!
4) Have a nice weekend!
5) I wish you good luck!

5. Listening Comprehension

Circle the correct answer according to the short dialogues.

1) a. fluent   b. very fluent   c. not very fluent
2) a. excellent   b. very good   c. not very good
3) a. excellent   b. not so bad   c. not very good
4) a. very slow   b. not very fast   c. very fast
5) a. so-so   b. very good   c. extremely beautiful

6. Classroom Activities

Practise with your classmates using the pattern: verb + 得 de + adjective.
(Examples: 写得不好 xiě de bù hǎo, 说得太快 shuō de tài kuài, 玩得很愉快 wán de hěn yúkuài, etc.)

7. Learning Chinese Characters

快								
乐								
幸								
福								

Lesson 30 Review & Test

Fùxí yǔ cèyàn

复习与测验

Part 1 Review for Lessons 25-29

Key patterns

1. Sentence patterns

Patterns	Sentences
A + 比 bǐ **B** + **Adjective**	Jīntiān bǐ zuótiān lěng. 今天比昨天冷。
A + 没有 méiyǒu **B** + **Adjective**	Zuótiān méiyǒu jīntiān lěng. 昨天没有今天冷。
A + 跟 gēn / 和 hé + **B** + (不 bú) 一样 yíyàng	Zhè běn shū gēn nà běn shū bù yíyàng. 这本书跟那本书不一样。
A + 跟 gēn / 和 hé + **B** + 一样 yíyàng +**Adjective**	Wǒ gēn wǒ dìdi yíyàng gāo. 我跟我弟弟一样高。
S+ 在 zài + **V** + **O** + (呢 ne)	Tā zài kàn shū (ne). 他在看书(呢)。
S+ 正 zhèng+ **V** + **O** + (呢 ne)	Wǒ zhèng chī wǎnfàn (ne). 我正吃晚饭(呢)。
S+ 正在 zhèngzài + **V** + **O** + (呢 ne)	Wǒmen zhèngzài shàngkè (ne). 我们正在上课(呢)。
S+ **V** + **O** + 呢 ne	Wǒ kàn diànshì (ne). 我看电视呢。
Verb + 一会儿 yíhuìr	Wǒ xiǎng zài zhèr zuò yíhuìr. 我想在这儿坐一会儿。

快 kuài + **V** + 了 le	Xīnnián kuài dào le 新 年 快 到 了。
要 yào + **V** + 了 le	Wǒ fùmǔ yào lái Zhōngguó le. 我 父 母 要 来 中 国 了。
快要 kuàiyào + **V** + 了 le	Tiān yīn le, kuàiyào xià yǔ le. 天 阴 了，快 要 下 雨 了。
先 xiān……然后 ránhòu……	Wǒ xiān qù Běijīng, ránhòu qù Shànghǎi. 我 先 去北京，然后 去 上 海。
好好 hǎohǎo + **Verb**	Nǐ yīnggāi hǎohǎo xuéxí. 你 应 该 好 好 学习。
S + (**O**) + **Verb** + 得 de + (**Adv.**) + **Adj.**	Nǐ Hànyǔ shuō de zhēn liúlì. 你 汉 语 说 得 真 流利。
S + **Verb** + 得 de + (**Adv.**) + **Adj.**	Tā pǎo de hěn kuài. 他 跑 得 很 快。

2. Fixed phrases

Patterns	Examples
怎么 zěnme + **other words**	怎么样 zěnmeyàng 怎么了 zěnme le 怎么去 zěnme qù 怎么卖 zěnme mài
一 yī + **other words**	一下儿 yíxiàr 一点儿 yìdiǎnr 一会儿 yíhuìr 一些 yìxiē
有 yǒu + **other words**	有点儿 yǒudiǎnr 有时候 yǒushíhou 有时 yǒushí 有些 yǒu xiē

Part 2 Test for Lessons 25-29

1. Reading Comprehension

Text

Shíjiān guò de zhēn kuài, Luójié lái Zhōngguó kuài sān nián le,
时 间 过 得 真 快, 罗 杰 来 中 国 快 三 年 了,
tā mǎshàng jiùyào bìyè le, tā jìhuà jīnnián nián dǐ huí Yīngguó.
他 马 上 就 要 毕 业 了, 他 计 划 今 年 年 底 回 英 国。
Xiànzài Luójié de Hànyǔ shuō de hěn liúlì, Hànzì yě xiě de hěn
现 在 罗 杰 的 汉 语 说 得 很 流 利, 汉 字 也 写 得 很
piàoliang, tā néng kàn Zhòngwén shū, gēn Zhōngguórén liáotiān
漂 亮, 他 能 看 中 文 书, 跟 中 国 人 聊 天
méiyǒu yìdiǎnr wèntí.
没 有 一 点 儿 问 题。

Luójié hěn xǐhuan Zhōngguó de wénhuà hé lìshǐ, yě fēicháng
罗 杰 很 喜 欢 中 国 的 文 化 和 历 史, 也 非 常
xǐhuan lǚyóu, měi cì xuéxiào fàngjià, tā dōu hé tóngxué yìqǐ qù
喜 欢 旅 游, 每 次 学 校 放 假, 他 都 和 同 学 一 起 去
lǚxíng. Zài zhè sānnián zhōng, tā qùguò Zhōngguó hěn duō dìfang,
旅 行。 在 这 三 年 中, 他 去 过 中 国 很 多 地 方,
dōng dào Shànghǎi, xī dào Xī'ān. nán dào Hǎinán Dǎo, běi dào
东 到 上 海, 西 到 西 安, 南 到 海 南 岛, 北 到
Hā'ěrbīn. Huí Yīngguó yǐqián, Luójié hái xiǎng qù Xīnjiāng hé Xīzàng
哈 尔 滨。 回 英 国 以 前, 罗 杰 还 想 去 新 疆 和 西 藏
kànkan, zhè liǎng gè dìfang tā hái méi qùguò.
看 看, 这 两 个 地 方 他 还 没 去 过。

Zuìjìn, Luójié zhèngzài xiě yì běn shū, shū de míngzi jiào《Yì Nián
最 近, 罗 杰 正 在 写 一 本 书, 书 的 名 字 叫《一 年
Sì Jì Yóu Zhōngguó》. Tā xiǎng jièshào yíxià Zhōngguó zuì yǒumíng
四 季 游 中 国》。他 想 介 绍 一 下 中 国 最 有 名
de dìfang, yě xiǎng jièshào yíxià Zhōngguó de tiānqì, dàn zuì zhòng-
的 地 方, 也 想 介 绍 一 下 中 国 的 天 气, 但 最 重
yào de shì xiǎng ràng wàiguórén zhīdào, yì nián sì jì dōu kěyǐ lái
要 的 是 想 让 外 国 人 知 道, 一 年 四 季 都 可 以 来
Zhōngguó lǚyóu, yīnwèi Zhōngguó tài dà le. Dōngtiān, nánfāng bǐ
中 国 旅 游, 因 为 中 国 太 大 了。 冬 天, 南 方 比
běifāng nuǎnhuo, kěyǐ qù Hǎinán Dǎo, xiàtiān, běifāng bǐ nánfāng
北 方 暖 和, 可 以 去 海 南 岛, 夏 天, 北 方 比 南 方
liángkuài, kěyǐ qù Hā'ěrbīn. Zhōngguó piàoliang de dìfang tài duō le!
凉 快, 可 以 去 哈 尔 滨。 中 国 漂 亮 的 地 方 太 多 了!

(zìshù: sānbǎi èrshísì)
(字 数： 3 2 4)

(1) Read the short passage above. Decide if each of the following statements is True/False/Not mentioned by circling the correct option.

1) Roger will graduate in December this year.

    a. True   b. False   c. Not mentioned

2) Roger plans to return to the UK at the end of next year.

    a. True   b. False   c. Not mentioned

3) If you travel in China in summer, you should go to the south.

    a. True   b. False   c. Not mentioned

4) Roger always travels during the school holidays.

    a. True   b. False   c. Not mentioned

5) There are still some places in China Roger would like to visit.

    a. True   b. False   c. Not mentioned

(2) Read the short passage above again, then circle the correct answers to the questions according to the information in the passage.

1) How long has Roger been in China?

    a. more than 3 years

    b. 3 years

    c. less than 3 years

2) How is Roger at chatting with Chinese people?

    a. He has some small problem.

    b. He has no problem at all.

    c. He has lots of questions.

3) What has Roger been doing recently?

    a. Reading a book.

    b. Writing a book.

    c. Editing a book.

4) What is Roger trying to tell foreigners via the book?

    a. They can visit famous places in China.

    b. They can compare the different weather in China.

    c. They can travel in China all year round.

5) How are Roger's Chinese language skills?

    a. He can only speak fluently.

    b. He is only able to write characters.

    c. His speaking and writing are both very good.

2. Using Language

(1) Fill in the blanks with the phrases given; each phrase can only be used once.

> a. 样 yàng　　b. 去 qù　　c. 走 zǒu　　d. 了 le　　e. 用 yòng

Nǐ zěnme _____? Wèishénme jīntiān méi lái shàngbān?

1) 你 怎 么 _____? 为 什 么 今 天 没 来 上 班?

Zhè zhōumò nǐ zěnme _____ Fǎguó? Kāi chē háishi zuò chē?

2) 这 周 末 你 怎 么 _____ 法 国? 开 车 还 是 坐 车?

Zhè shì xīn mǎi de shǒujī, wǒ hái bù zhīdào zěnme _____ ne.

3) 这 是 新 买 的 手 机, 我 还 不 知 道 怎 么 _____ 呢。

Qǐngwèn, qù huǒchēzhàn zěnme _____?

4) 请 问, 去 火 车 站 怎 么 _____?

Nà běn shū zěnme _____?

5) 那 本 书 怎 么 _____?

(2) Circle the correct sentence according to the English meaning.

1) He doesn't play basketball well.

Tā bù dǎ lánqiú hěn hǎo.
a. 他 不 打 篮 球 很 好。

Tā lánqiú dǎ de bù hǎo.
b. 他 篮 球 打 得 不 好。

Tā dǎ de lánqiú bù hǎo.
c. 他 打 得 篮 球 不 好。

2) Today is not as hot as yesterday.

Jīntiān bù bǐ zuótiān yíyàng rè.
a. 今 天 不 比 昨 天 一 样 热。

Jīntiān gēn zuótiān bù yíyàng rè.
b. 今 天 跟 昨 天 不 一 样 热。

Jīntiān méiyǒu zuótiān rè.
c. 今 天 没 有 昨 天 热。

3) When he came, I was watching television.

Tā lái de shíhou, wǒ zhèngzài kàn diànshì.
a. 他 来 的 时 候, 我 正 在 看 电 视。

Wǒ kàn diànshì de shíhou, tā zhèng lái le.
b. 我 看 电 视 的 时 候, 他 正 来 了。

Tā zhèng lái de shíhou, wǒ zài kàn diànshì.
c. 他 正 来 的 时 候, 我 在 看 电 视。

4) My younger sister is going to Shanghai soon.

Wǒ mèimei qù Shànghǎi hěn kuài.
a. 我 妹 妹 去 上 海 很 快。

Wǒ mèimei kuài qù Shànghǎi.
b. 我 妹妹 快去 上 海。

Wǒ mèimei yào qù Shànghǎi le.
c. 我 妹妹 要去 上 海了。

5) The doctor told him to take a good rest.

Yīshēng gàosu tā yào xiūxi hǎo.
a. 医 生 告诉他要 休息好。

Yīshēng ràng tā hǎohǎo xiūxi.
b. 医 生 让 他好 好 休息。

Yīshēng ràng tā xiūxi hǎo.
c. 医 生 让 他休息好。

(3) Make sentences by re-arranging the order of the words given.

bù /   yíyàng /   nà běn shū /   gēn /   zhè běn shū /.
1) a. 不 / b. 一样 / c. 那 本 书 / d. 跟 / e. 这 本 书 /。

_____

zhèli /   xiǎng /   yíhuìr /   zài /   zuò /   wǒ /.
2) a. 这里 / b. 想 / c. 一会儿 / d. 在 / e. 坐 / f. 我 /。

_____

de dōngtiān /   lěng /   dōngtiān /   Běijīng de /   Guǎngzhōu /   bǐ /.
3) a. 的冬天 / b. 冷 / c. 冬天 / d. 北京 的 / e. 广州 / f. 比 /。

_____

nà jiàn /   guì /   zhè jiàn dàyī /   méiyǒu /   dàyī /.
4) a. 那件 / b. 贵 / c. 这 件 大衣 / d. 没有 / e. 大衣 /。

_____

shàngkè /   Zhāng lǎoshī /   ne /   gěi /   wǒmen /   zhèngzài /.
5) a. 上课 / b. 张 老师 / c. 呢 / d. 给 / e. 我们 / f. 正在 /。

_____

Appendix I Recording Scripts for the Sounds of Chinese Pinyin

Hànyǔ pīnyīn lùyīn wénběn

汉语 拼音 录音 文本

Lesson 0

Initials

b	p	m	f
d	t	n	l
g	k	h	
j	q	x	
z	c	s	
zh	ch	sh	r

Finals

		i	u	ü
	a	ia	ua	
	o		uo	
	e	ie		üe
	er			
	ai		uai	
	ei		uei (ui)	
	ao	iao		
	ou	iou (iu)		
	an	ian	uan	üan
	en	in	uen (un)	ün
	ang	iang	uang	
	eng	ing	ueng	
	ong	iong		

Tones

mā   má   mǎ   mà   ma

Pinyin Practice

1. Pronunciation exercises

(1) Read the following initials out loud.

b	p	m	f
d	t	n	l
z	c	s	
zh	ch	sh	r
j	q	x	
g	k	h	

(2) Read the following simple finals out loud.

a   o   e   i   u   ü

(3) Contrast the sounds of the initials in each of the following groups.

{ z / j   { c / q   { s / x

{ z / zh   { c / ch   { s / sh

{ j / zh   { q / ch   { x / sh

2. Tone exercises (listen and repeat)

(1) <u>the first tone</u>

dōngtiān (冬天 winter)   gānbēi (干杯 cheers)

gōngsī (公司 company)   fēijī (飞机 airplane)

fēnzhōng (分钟 minute)   kāfēi (咖啡 coffee)

jīntiān (今天 today)   zhēnsī (真丝 pure silk)

zhōngxīn (中心 centre)

(2) <u>the second tone</u>

chángcháng (常常 often)   Déguó (德国 Gemany)

máotái (茅台 *Maotai*)   shí nián (十年 *ten years*)

wénxué (文学 *literature*)   yínháng (银行 *bank*)

(3) the third tone

Běijīng (北京 *Beijing*)   kǎoyā (烤鸭 *roast duck*)

jiǔbā (酒吧 *pub*)   xiǎoshí (小时 *hour*)

lǚyóu (旅游 *to travel*)   hěn hǎo (很好 *very good*)

wǎngzhǐ (网址 *website*)   pǎobù (跑步 *to jog*)

zǒulù (走路 *to walk*)

(4) the fourth tone

dàgài (大概 *probably*)   dànshì (但是 *but*)

diànshì (电视 *television*)   zàijiàn (再见 *goodbye*)

xiànzài (现在 *now*)   kuàilè (快乐 *happy*)

jièshào (介绍 *to introduce*)   fàndiàn (饭店 *hotel*)

jìhuà (计划 *plan*)

(5) the neutral tone

xièxie (谢谢 *thanks*)   bú kèqi (不客气 *you're welcome*)

duìbuqǐ (对不起 *sorry*)   méi guānxi (没关系 *it doesn't matter*)

(6) *tone changes*

hěn hǎo (很好 *very good*)   kěyǐ (可以 *can*)

shuǐguǒ (水果 *fruit*)   yìzhí (一直 *straight*)

yìqǐ (一起 *together*)   yíyàng (一样 *same*)

bú rè (不热 *not hot*)   bú qù (不去 *not go*)

bú kàn (不看 *not see*)

(7) the words with er ending

nǎr (哪儿 *where*)   yìdiǎnr (一点儿 *a little*)

wánr (玩儿 *have fun*)

(8) Say the following numbers.

líng	yī	èr	sān	sì	wǔ	liù	qī	bā	jiǔ	shí
0	1	2	3	4	5	6	7	8	9	10

3. Dictation exercises

(1) Listen to these words carefully, and then give them tone marks accordingy.

你好　　　饭店　　　附近　　　有名

医生　　　老师　　　汉语　　　明天

(2) Practise for j, q, x. Listen to the words carefully, and then write down the pinyin.

_____ 鸡　　　　_____ 去　　　　_____ 西

_____ 家　　　　_____ 七　　　　_____ 虾

_____ 叫　　　　_____ 钱　　　　_____ 想

_____ 街　　　　_____ 请　　　　_____ 小

_____ 今天　　　_____ 秋天　　　_____ 先生

_____ 经理　　　_____ 裙子　　　_____ 姓名

(3) Practise for z, c, s. Listen to the words carefully, and then write down the pinyin.

_____ 早　　　　_____ 菜　　　　_____ 三

_____ 在　　　　_____ 次　　　　_____ 四

_____ 走　　　　_____ 从　　　　_____ 岁

_____ 紫色　　　_____ 辞典　　　_____ 虽然

(4) Practise for zh, ch, sh, r. Listen to the words carefully, and then write down the pinyin.

_____ 找　　　　_____ 这　　　　_____ 中国

_____ 茶　　　　_____ 车　　　　_____ 吃

_____ 是　　　　_____ 书　　　　_____ 什么

_____ 人　　　　_____ 日　　　　_____ 认识

Appendix II Listening Comprehension Scripts

Tīnglì wénběn
听力文本

Lesson 1

5. Listening Comprehension

Circle the correct answer according to the phrases you hear.

1) 你好　　　2) 你好吗?　　　3) 你怎么样?　　　4) 我很好

5) 不错　　　6) 马马虎虎　　　7) 再见　　　8) 明天见

Lesson 2

5. Listening Comprehension

Mark true (T) or false (F) according to the short dialogues.

1)　　男：您贵姓?

　　　女：我姓梁。

2)　　男：你叫什么?

　　　女：我叫林小红。

3)　　女：他是谁?

　　　男：他是王峰。

4)　　女：我姓赵，您呢?

　　　男：我姓张。

5)　　女：你姓什么?

　　　男：我姓刘，叫刘大明。

Lesson 3

5. Listening Comprehension

Mark true (T) or false (F) according to the short dialogues.

1)　　男：请问您是哪国人?

　　　女：我是奥地利人。

2)　　男：您说法语吗?

女：我不说法语，我说德语。

3) 男：杰克是不是英国人?

　　女：他不是英国人，他是美国人。

4) 女：我是法国人，你呢?

　　男：我也是法国人。

5) 女：我来自汉堡，你呢?

　　男：我来自柏林。

Lesson 4

5. Listening Comprehension

Choose the correct answer according to the short dialogues.

1) 男：今天几号?

　　女：今天四号。

　　男：*What is the date today?*

2) 男：明天星期几?

　　女：明天星期天。

　　男：*What day is tomorrow?*

3) 男：现在几月?

　　女：现在九月。

　　男：*What month is it now?*

4) 男：你的生日是几月几号?

　　女：我的生日是五月二号。

　　男：*When is her birthday?*

5) 男：昨天是你的生日吗?

　　女：不是，明天是我的生日。

　　男：*When is her birthday?*

Lesson 5

6. Listening Comprehension

Circle the correct answer according to the short dialogues.

1) 女：请问，现在几点?

　　男：现在十点十分。

2) 女：你每天早上几点起床？

男：七点一刻。

3) 女：你几点吃早饭？

男：差十分八点。

4) 女：你几点吃晚饭？

男：六点半。

5) 女：商店几点开门？

男：早上九点。

Lesson 7

5. Listening Comprehension

Mark true (T) or false (F) according to the short dialogues.

1) 男：周末我们去看电影，好吗？

女：对不起，周末我很忙，没时间。

2) 男：明天晚上我们去吃中国饭吧？

女：好极了，几点？

3) 女：你现在有时间吗？

男：有时间，你来吧。

4) 男：星期天是你的生日，我请你吃烤鸭怎么样？

女：太好了！我喜欢吃烤鸭。

5) 女：昨天的美国电影怎么样？

男：不太好。

Lesson 8

5. Listening Comprehension

Choose the correct answer according to the short dialogues.

1) 男：你住哪儿？

女：我住阳光公寓 8 号楼。

2) 男：你的房间号码是多少？

女：1425。

3) 男：你的电话号码是多少？

女：6819-7231

4) 男：你的手机号码是多少？

　　女：1583-041-6215

5) 男：电话公司在哪儿？

　　女：在朝阳路 85 号。

Lesson 9

5. Listening Comprehension

Choose the correct answer according to the short dialogues.

1) 男：你家有几口人？

　　女：我家有五口人。

　　男：*How many people are there in her family?*

2) 男：你有哥哥吗？

　　女：没有，我只有弟弟 。

　　男：*Does she have younger brothers?*

3) 男：你弟弟多大？

　　女：他今年十六岁。

　　男：*How old is her younger brother?*

4) 男：你妈妈多大年纪？

　　女：她五十七岁。

　　男：*How old is her mother?*

5) 男：你儿子几岁？

　　女：我儿子今年八岁。

　　男：*How old is her son?*

Lesson 10

5. Listening Comprehension

Mark true (T) or false (F) according to the short dialogues.

1) 女：你在哪儿工作？

　　男：我在银行工作，我是会计。

2) 男：你在哪儿工作？

　　女：我在医院工作。

3) 男：你是医生吗？

   女：不是，我是护士。

4) 女：你是不是老师？

   男：我不是老师，我是律师。

5) 女：我在进出口公司工作。你呢？

   男：我退休了，不工作。

Lesson 11

5. Listening Comprehension

Mark true (T) or false (F) according to the short dialogues.

1) 男：喂，请问李先生在吗？

   女：对不起，他不在。

2) 女：请问，您是哪位？

   男：我是北京进出口公司的高朋。

3) 女：李先生不在，您要留言吗？

   男：要，请他给我回电话。谢谢！

4) 男：喂，是上海进出口公司吗？

   女：是啊，您找谁？

5) 男：我找刘经理，他在吗？

   女：在，请您等一下。

Lesson 13

5. Listening Comprehension

Mark true (T) or false (F) according to the short dialogues.

1) 男：你喜欢看哪国电影？

   女：我喜欢看美国电影。

2) 男：你会说意大利语吗？

   女：不会，我只会说法语。

3) 男：周末你喜欢做什么？

   女：我喜欢跟朋友一起去打网球。

4) 女：你喜欢吃中国饭吗？

   男：非常喜欢。

5) 女：你能看中文书吗?

　　男：能，我能看中文书，还会写汉字。

Lesson 14

5. Listening Comprehension

Circle the correct answer according to the phrases you hear.

1) 一百块　　　2) 一百二十块　　　3) 五毛　　　4) 六十九块四

5) 七块八　　　6) 二十九块九　　　7) 五分　　　8) 三十三块九毛九

Lesson 15

5. Listening Comprehension

Choose the correct answer according to the short dialogues.

1) 女：你去哪儿?

　　男：我去书店。

　　女：*Where is he going?*

2) 女：您想买什么?

　　男：我想买一张中国地图。

　　女：*What does he want to buy?*

3) 男：多少钱一张?

　　女：九块五。

　　男：*How much is it?*

4) 男：请问，用美元行吗?

　　女：不行，我们只收人民币。

　　男：*What kind of currency does the shop accept?*

5) 男：这本词典多少钱?

　　女：一百二十六块八。

　　男：*How much is the dictionary?*

Lesson 16

5. Listening Comprehension

Choose the correct answer according to the short dialogues.

1) 女：您穿多大号的鞋?

男：我穿 44 号的。

女：*What size of shoes does he wear?*

2) 男：您穿多大号的衣服？

女：我穿中号的。

男：*What size clothing does she wear?*

3) 女：这双鞋合适吗？

男：不大不小，正合适。

女：*Do the shoes fit him?*

4) 女：这条裤子合适吗？

男：不行，太短了。

女：*Do the trousers fit him?*

5) 男：你喜欢什么颜色的上衣？

女：我喜欢白色的。

男：*What kind of colour does she like?*

Lesson 17

5. Listening Comprehension

Mark true (T) or false (F) according to the short dialogues.

1) 男：今年春节你回家吗？

女：当然，我要回家过春节。

2) 男：你想去哪儿买机票？

女：我打算在网上订机票。

3) 男：喂，是四川饭馆吗？我想订桌。

女：是啊，你们几位？什么时候？

4) 女：喂，是北京饭店吗？我想找马经理。

男：对不起，马经理不在。

5) 女：你打算什么时候去美国？

男：明年五月。

Lesson 19

5. Listening Comprehension

Choose the correct answer according to the short dialogues.

1) 女 : 你们要什么菜?

    男 : 我们只要素菜，不要鱼和肉。

    女 : *What kind of dishes do they want?*

2) 女 : 你们点什么菜?

    男 : 我们要一只烤鸭、一条鱼 和一个青菜。

    女 : *What dish they didn't order?*

3) 女 : 你们要炒饭还是白饭?

    男 : 要炒饭。

    女 : *What kind of rice do they want?*

4) 男 : 你喜欢吃牛肉还是羊肉?

    女 : 牛肉、羊肉我都不喜欢，我喜欢吃猪肉。

    男 : *What kind of meat dose she like to eat?*

5) 男 : 你们这里什么菜最好吃?

    女 : 我们这里的烤鸭最好吃。

    男 : *What is the most delicious dish in this restaurant?*

Lesson 20

5. Listening Comprehension

Choose the correct answers according to the short dialogues.

1) 女 : 刚才你去哪儿了?

    男 : 我去超市了。

    女 : *Where has he been?*

2) 女 : 这件大衣真好看，你是在哪儿买的?

    男 : 是去年在巴黎买的。

    女 : *Where did he buy this overcoat?*

3) 女 : 昨天晚上你去哪儿了?

    男 : 我跟朋友去看电影了。

    女 : *Where did he go last night?*

4) 男 : 请问，餐厅在哪儿?

    女 : 在十五层。

    男 : *Where is the canteen?*

5) 男：小姐，我想发个邮件，这里的电脑能上网吗？

   女：可以，我们有无线网。

   男：*What did he want?*

Lesson 21

5. Listening Comprehension

Mark true (T) or false (F) according to the short dialogues.

1) 女：青岛啤酒好喝吗？

   男：好喝极了。

2) 女：你去过海南岛吗？

   男：没去过。

3) 女：您想喝点儿什么？

   男：来两瓶可乐吧。

4) 女：这个绿茶的味道怎么样？

   男：不错，很好喝。

5) 女：咖啡要加糖吗？

   男：不加，谢谢。

Lesson 22

5. Listening Comprehension

Circle the correct answer according to the short dialogues.

1) 男：你每天怎么去上班？

   女：我坐地铁去上班。

2) 男：你家离火车站远不远？

   女：不太远。

3) 男：你怎么去超市买东西？

   女：我开车去。

4) 女：周末你怎么去上海？

   男：我坐火车去。

5) 女：你怎么去青岛？

   男：我坐船去。

Lesson 23

5. Listening Comprehension

Circle the correct answer according to the short dialogues.

1) 男：北京饭店在哪儿?

　　女：在北京的中心。

2) 男：故宫在哪儿?

　　女：在北京饭店的西北边。

3) 男：银行是不是在书店的前边?

　　女：不是，银行在书店的后边。

4) 男：从伦敦到曼城开车要多长时间?

　　女：大概三个小时。

5) 男：从伦敦到北京坐飞机要多长时间?

　　女：大概十个小时。

Lesson 25

5. Listening Comprehension

Choose the correct answer according to the short dialogues.

1) 男：今天天气怎么样?

　　女：今天天气真不错，不冷不热。

2) 男：昨天气温是多少度?

　　女：昨天气温是二十二度。

3) 男：今天热还是昨天热?

　　女：今天比昨天热。

4) 男：广州冬天天气怎么样?

　　女：不太冷，但是常常下雨。

5) 男：明天有雨吗?

　　女：天气预报说，大概有小雨。

Lesson 26

5. Listening Comprehension

Choose the correct answer according to the short dialogues.

1) 男：高朋在干什么呢？

　　女：他正在看电视。

2) 男：方兰在做什么呢？

　　女：她正上网聊天呢。

3) 男：小玉，你在做什么？

　　女：我正在做晚饭。

4) 男：安娜在家吗？

　　女：不在，她去买东西了。

5) 女：喂，罗杰你现在在哪儿？

　　男：我在朋友家。

Lesson 27

6. Listening Comprehension

Circle the correct answer according to the short dialogues.

1) 男：你打算什么时候去中国？

　　女：今年秋天。

2) 男：你想去中国什么地方？

　　女：我想去广州。

3) 男：你打算在上海住多久？

　　女：大概两个星期。

4) 男：你为什么去中国？

　　女：我想去旅游。

5) 男：你计划什么时候去香港？

　　女：下月底。

Lesson 28

5. Listening Comprehension

Choose the correct answer according to the short dialogues.

1) 女：你怎么了？

　　男：我感冒了。

2) 女：你哪儿不舒服？

　　男：我头疼。

3) 女：小玉发烧多少度？

   男：三十八度七。

4) 男：这个药一次吃几片？

   女：一次吃两片。

5) 男：这个药怎么吃？

   女：一天三次饭后吃。

Lesson 29

Listening Comprehension

Circle the correct answer according to the short dialogues.

1) 男：安娜的汉语说得怎么样？

   女：说得很流利。

2) 男：杰克足球踢得怎么样？

   女：踢得不太好。

3) 男：罗杰网球打得好不好？

   女：打得非常好。

4) 男：马修跑得快不快？

   女：跑得很快。

5) 男：苏珊的汉字写得怎么样？

   女：写得非常漂亮。

Appendix III   Key to the Exercises

Liànxí dá'àn
练习答案

Lesson 1

1. 1) 你好　　2) 再见　　3) 谢谢　　4) 不错　　5) 很好

　　6) 好　　　7) 大家　　8) 最近　　9) 很累　　10) 马马虎虎

2. 1) d　　2) a　　3) c　　4) e　　5) b

3. 1) c　　2) d　　3) b　　4) b　　5) a

4. 1) A: 你好，Mark！

　　B: 你好，Helen！

　　A: 你好吗？

　　B: 我很好。你呢？

　　A: 我也很好。谢谢！

　 2) A: Jack, 你好吗？

　　B: 马马虎虎，你呢？

　　A: 我也马马虎虎。

　 3) A: Anna, 你怎么样？

　　B: 不错，你呢？

　　A: 我也不错。

　 4) A: David, 你最近忙不忙？

　　B: 不忙。你呢？

　　A: 我很忙。

　 5) A: Lucy, 你累吗？

　　B: 我很累，你呢？

　　A: 我也很累。

5. 1) b　2) a　3) c　4) a　5) b　6) c　7) b　8) a

Lesson 2

1. 1) f 2) e 3) h 4) g 5) a 6) d 7) c 8) b

2. 1) d 2) a 3) e 4) b 5) c

3. 1) May I know your surname?

   2) What is this?

   3) Mr. Ma is very happy.

   4) My friend is called Jack.

   5) Miss Wang is my close friend.

4. 1) 我姓 Scott.

   2) 我叫 Emma.

   3) 很高兴认识你。

   4) 你叫什么名字？

   5) 请问，她是张小姐吗？

5. 1) F 2) T 3) F 4) F 5) T

Lesson 3

1. 1) c 2) h 3) e 4) b 5) f 6) a 7) d 8) g

2. 1) 中国　　英国　　美国　　法国　　俄罗斯　　德国

   加拿大　日本　　意大利　丹麦　　荷兰　　　西班牙

   2) 中国人　　英国人　　法国人　　德国人

   加拿大人　意大利人　日本人　　丹麦人

   3) 汉语　　英语　　　法语　　　意大利语　　德语

   日语　阿拉伯语　西班牙语　俄语　　　　印度尼西亚语

3. 1) f 2) h 3) d 4) c 5) g 6) a 7) b 8) e

4. 1) 你是法国人吗？

   2) 我不是法国人，我是西班牙人。

   3) 你说日语吗？

   4) 你是哪国人？

   5) Lucy 不是英国人，她是加拿大人。

   6) 他太太说德语。

   7) Anna 不说意大利语，她说西班牙语。

8) 我们都说汉语。

5. 1) F　2) T　3) T　4) F　5) F

Lesson 4

1. 1) f　2) c　3) g　4) b　5) d　6) h　7) a　8) e

2. 1) 今天星期几?

　2) 昨天是几月几号?

　3) 今年春节是几月几号星期几?

　4) 他的生日是几月几号?

　5) 明天是几月几号星期几?

3. 1) Christmas is on the 25th December.

　2) This Saturday is 27th March.

　3) Anna's birthday is on the 7th November

　4) Last Saturday was my birthday.

　5) Next Thursday is Jack's birthday.

4. 1) 今天是十月十一号。

　2) 昨天是我的生日。

　3) Bobby 的生日是四月二十三日。

　4) 圣诞节是哪天?

　5) 你的生日是几月几号?

5. 1) b　2) a　3) b　4) c　5) c

Lesson 5

1. 1) 六点, 八点二十 (分), 差五分两点, 三点半

　2) 十二点三十五 (分), 十一点十分, 两点二十 (分), 差一刻十点

　3) 五点一刻, 十点五分, 五点半, 差一刻五点

　4) 六点八分, 差五分四点, 七点四十五 (分), 两点半

　5) 四点五分, 十二点十分, 九点一刻, 两点三十五 (分)

2. 1) 差五分十二点, 差十分八点, 差五分八点, 七点三十五 (分)

　2) 差一刻十一点, 六点二十五 (分), 十一点三十五 (分), 八点半

　3) 九点, 七点五分, 十二点二十五 (分), 十一点半

4) 四点三十五 (分)，八点五分，七点五十 (分)，四点五分

3. 1) 每天　　　2) 每星期　　　3) 每月　　　4) 每年

　　5) 每人　　　6) 每天晚上　　7) 每星期一　8) 每天早上

4. 1) cbaed　　　2) dbcae　　　3) dabce　　　4) acdbe　　5) ecbad

5. 1) I get up at 7:15 am every morning.

　　2) I have breakfast at 7:45 am every day.

　　3) I have lunch at 12:30 pm.

　　4) I have dinner at 6:45 pm in the evening.

　　5) I go to the shop every Saturday.

6. 1) a　2) b　3) c　4) a　5) b

Lesson 6

1. (1) 1) b　2) a　3) b　4) c　5) a

　　(2) 1) c　2) a　3) b　4) c　5) c

2. (1) 1) b　2) e　3) d　4) c　5) a

　　(2) 1) b　2) c　3) b　4) c　5) c

　　(3) 1) aedcb　　　2) dbace　　　3) deacb　　　4) dbaec　　　5) adcbef

Lesson 7

1. 1) d　2) a　3) e　4) b　5) c

2. 1) e　2) c　3) d　4) a　5) b

3. 1) What do you do from Monday to Friday every day?

　　2) Where are you going at the weekend? What do you like to do?

　　3) When does Anna go to Shanghai?

　　4) When will you be free?

　　5) Will you be free this weekend?

4. 1) 这个周末我很忙，没有时间。

　　2) 星期三我有空。

　　3) 今天是你的生日，我请你。

　　4) 明天晚上七点你来我家，好吗？

　　5) 下星期天李先生请我们吃中国饭。

5. 1) F   2) T   3) F   4) T   5) F

Lesson 8

1. 1) f   2) g   3) d   4) h   5) j   6) a   7) b   8) i   9) e   10) c

2. 1) e   2) a   3) c   4) d   5) b

3. 1) Where are you going now?

2) What is your WeChat address?

3) Where is Gao Peng's company?

4) Is this your email address?

5) My friend lives in Shanghai.

6) Fang Lan is not in the office.

7) My mobile phone number is 13876617245.

8) My office telephone number is 53919061.

4. 1) 你住哪儿？

2) 你的手机号是多少？

3) 你的房间号码是多少？

4) 你的电子邮件地址是什么？

5) 你用不用脸书？

6) 陈先生在办公室吗？

7) 你什么时间来我的办公室？

8) 你现在在哪儿？

5. 1) c   2) b   3) c   4) b   5) a

Lesson 9

1. 1) e   2) f   3) d   4) c   5) i   6) j   7) a   8) g   9) b   10) h

2. 1) 你哥哥多大？

2) 他女儿几岁？

3) 你父亲多大年纪？

3. 1) 你的汉语老师是不是北京人？

2) 你有没有兄弟姐妹？

3) 他是不是你弟弟？

4) 你爸爸妈妈住不住在上海？

5) 李先生在不在家?

4.1) 你家有几口人?

2) 我没有兄弟姐妹,我家只有我一个孩子。

3) 我有两个弟弟和一个姐姐。

4) 你有几个哥哥?

5) 你弟弟多大?

5.1) b   2) a   3) c   4) b   5) c

Lesson 10

1.1) g   2) h   3) b   4) f   5) a   6) c   7) e   8) d

2.1) d   2) a   3) e   4) c   5) b

3. 1) My mum is at home and she doesn't work.

2) I don't have a job at the moment.

3) My parents retired now.

4) My younger sister is a doctor now.

5) My friend Anna is a secretary and she works at the bank.

4.1) 你妈妈在哪儿工作?

2) 你爸爸做什么工作?

3) 你爸爸是律师吗?

4) 这是我弟弟,不是我哥哥。

5) 我姐姐是老师,她在中学工作。

5.1) T   2) F   3) F   4) T   5) T

Lesson 11

1.1) g   2) f   3) b   4) a   5) h   6) d   7) e   8) c

2.1) d   2) b   3) e   4) c   5) a

3. 1) May I ask who you want to speak to?

2) Is Manager Zhang in?

3) Hello, is this Shanghai Import & Export Company?

4) Who is calling?

5) What is Secretary Wang's telephone number?

4. 1) 我是高朋。

   2) 请问，您是谁?

   3) 对不起，王先生不在。

   4) 您要留言吗?

   5) 你明天下午给我打电话行吗?

5. 1) T 2) F 3) F 4) T 5) F

Lesson 12

1. (1) 1) b 2) b 3) a 4) c 5) a

  (2) 1) c 2) a 3) c 4) b 5) b

2. (1) 1) d 2) e 3) a 4) c 5) b

  (2) 1) c 2) b 3) b 4) a 5) c

  (3) 1) cadeb 2) badce 3) dbeca 4) dbafec 5) dfegacb

Lesson 13

1. 1) b 2) e 3) d 4) c 5) a

2. 1) c 2) f 3) b 4) a 5) d

3. 1) Do you like to read blogs online?

   2) I like sports. I go for jogging every morning.

   3) I often go to see films with my friends at the weekend.

   4) My younger brother can speak Spanish and French.

   5) I go swimming every Tuesday and Thursday.

4. 1) 我非常喜欢看中国电影。

   2) 我想明年四月去上海。

   3) 我喜欢打篮球和网球。

   4) 我不喜欢踢足球，可是我喜欢看足球。

   5) 我会说汉语，可是我不会写汉字。

5. 1) T 2) F 3) F 4) T 5) F

Lesson 14

1. 1) 十块，一块二,五块六毛四,七块零八分，三十三块九毛四

2) 五百八十块，九十九块九毛九，三百八十二块一毛六，四十块六毛，五块零五

3) 五毛，两块，四块九毛九，一百一十九块两毛，四十九块一毛九

2. 1) d   2) c   3) a   4) b, a   5) c, d

3. 1) 人民币   2) 美元   3) 英镑   4) 卢比   5) 欧元

4. 1) 我想换美元。

2) 您想换多少钱？

3) 我想换五百美元。

4) 今天一英镑能换多少人民币？

5) 一英镑能换九块五人民币。

5. 1) b   2) a   3) c   4) c   5) a   6) b   7) b   8) b

Lesson 15

1. 1) e   2) d   3) a   4) b   5) c

2. 1) 本   2) 张   3) 个   4) 些   5) 口

3. 1) There are two Chinese dictionaries, which one is yours?

2) There are many foreign language books in this bookshop, English ones, French ones and German ones.

3) Do you want to buy apples? The fruit in this store are very good.

4) There are two supermarkets nearby, one big and one small, which one do you want to go?

5) There many things in the big store, and some things are very good.

4. 1) 这本词典多少钱？

2) 用信用卡可以吗？

3) 请问哪儿有书店？

4) 北京有很多超市吗？

5) 我喜欢星期天去买东西。

5. 1) c   2) a   3) c   4) b   5) c

Lesson 16

1. 1) 条   2) 件   3) 件   4) 双   5) 个

2. 1) c   2) e   3) d   4) a   5) b

3. 1) I want to buy a red jumper for my sister.

   2) Excuse me, how much is the blue shirt?

   3) Do you have these shoes in size 38?

   4) Do you have this kind of top in white?

   5) These trousers are too long. Do you have shorter ones?

4. 1) 你最喜欢什么颜色?

   2) 你穿多大号的?

   3) 这件大衣真漂亮!

   4) 你喜欢这条裙子吗?

   5) 我能试试这双鞋吗?

5. 1) c   2) b   3) c   4) b   5) c

Lesson 17

1. 1) c   2) e   3) a   4) b   5) d

2. 1) e   2) a   3) d   4) b   5) c

3. 1) Our school is big and beautiful.

   2) I would like to book a train ticket to Shanghai on 2nd April.

   3) Booking tickets online is easy and cheap.

   4) I plan to go to Germany to visit my friends in May this year.

   5) The train from London to Paris is quick and easy.

4. 1) 你为什么喜欢在网上订票?

   2) 今年圣诞节你打算做什么?

   3) 下月你去哪儿?

   4) 你要在上海住多久?

   5) 你打算什么时候去香港?

5. 1) T   2) F   3) T   4) F   5) F

Lesson 18

1. (1) 1) c   2) a   3) a   4) b   5) b

   (2) 1) a   2) b   3) c   4) b   5) a

2. (1) 1) d 2) c 3) e 4) a 5) b

(2) 1) a 2) b 3) c 4) b 5) c

(3) 1) cedab 2) eafcbd 3) bafecd 4) gdabcef 5) dcagbef

Lesson 19

1. 1) d. 2) c. 3) e. 4) a. 5) b.

2. 1) 还是 2) 只，条，个，碗 3) 好吃 4) 还是 5) 或者

3. 1) Today is my treat. What would you like to eat?

2) We have roast lamb and roast beef here. What would you like?

3) I don't eat chicken, duck, fish and meat. I am vegetarian.

4) This is the best Chinese restaurant in London and their food is delicious.

5) The dishes in this restaurant is delicious, but a bit expensive.

4. 1) 你们要鱼还是要鸡？

2) 请等一下。

3) 请结账。

4) 请问，你们几位？

5) 这是菜单，先看看吧。

5. 1) b 2) a 3) c 4) c 5) b

Lesson 20

1. 1) e 2) f 3) a 4) c 5) d

2. 1) 我没吃午饭。

2) 昨天晚上我没去看电影。

3) 银行还没关门。

4) 今天上午他没去商店买东西。

5) 高朋没去上海。

3. 1) 这件黑大衣是在哪儿买的？

2) 他们是怎么去的？

3) 高朋是跟谁一起去的伦敦？

4) 这本汉英词典是什么时候买的？

5) 王小玉是几点来的？

4.1) 你去哪儿了？

   2) 你吃晚饭了吗？

   3) 你是几点吃的晚饭？

   4) 你是在哪儿吃的晚饭？

   5) 你晚饭吃的是什么？

5. 1) c 2) b 3) a 4) b 5) b

Lesson 21

1.1) 本，个，位   2) 碗，个，杯   3) 条，瓶／杯，张

   4) 只，件，条   5) 张，些，个

2.1) c 2) e 3) d 4) a 5) b

3.1) 我妹妹学没学过英语？没学过。

   2) 王小玉去没去过美国？没去过。

   3) 你弟弟来没来过我们大学？没来过。

   4) 他们喝没喝过中国绿茶？没喝过。

   5) 我吃没吃过北京烤鸭？没吃过。

4.1) 你去过汉堡吗？

   2) 他已经去上海了。

   3) 我还没去过北京。

   4) 青岛啤酒怎么样？

   5) 红茶好喝吗？

5.1) F 2) T 3) F 4) F 5) T

Lesson 22

1.1) c   2) d, h   3) g, e   4) a   5) f, b

2.1) 坐公共汽车   2) 骑自行车   3) 开车   4) 走路

   5) 打的   6) 坐飞机   7) 骑马   8) 坐船

3.1) I often drive to the supermarket to do shopping.

   2) I can't drive, but I really want to learn to drive.

   3) The school is near my home. I walk to school every day.

   4) I heard that the Eurostar train is fast and convenient, but I haven't taken it yet.

5) I like to ride bicycle to the park at the weekend.

4. 1) 我常常坐"欧洲之星"去巴黎。

2) 南京有地铁吗?

3) 从上海到北京你怎么去?

4) 从伦敦到北京非常远,我得坐飞机。

5) 早上很多学生骑自行车去学校。

5. 1) c   2) b   3) a   4) b   5) c

Lesson 23

1. 1) 左边   2) 右拐   3) 中间   4) 旁边   5) 东北
   6) 东南   7) 西北   8) 前边   9) 后边   10) 附近

2. 1) c   2) a   3) b   4) a   5) c

3. 1) Excuse me, how to get do I the Beijing Hotel?

2) Go straight ahead and turn left at the traffic lights.

3) How long does it take to travel from Beijing to Shanghai by train?

4) The Embassy is not far from here. It takes about ten minutes to walk there.

5) How long does it take to walk from your home to the subway station?

4. 1) 咖啡店在书店的后面。

2) 公园在学校的旁边。

3) 我家附近有一个很大的超市。

4) 请问,去火车站怎么走?

5) 地铁站离这儿不远,就在前面。

5. 1) b   2) b   3) c   4) a   5) b

Lesson 24

1. (1) 1) b   2) a   3) c   4) a   5) b
   (2) 1) a   2) c   3) b   4) c   5) b

2. (1) 1) c   2) e   3) a   4) b   5) d
   (2) 1) c   2) b   3) b   4) a   5) c
   (3) 1) edcafb   2) cabed   3) gaecdfb   4) dfaceb   5) bdacfe

Lesson 25

1. 1) a 2) b 3) b 4) a 5) a

2. 1) The snow in France is very heavy this winter.

   2) The temperature was 22°C yesterday.

   3) It often snows this winter, and it's colder than last winter.

   4) The spring in Guangzhou is the best. It's neither cold nor hot. It's very warm.

   5) The weather forecast said that it will be cloudy with light to moderate rain tomorrow.

3. 1) 火车没有飞机快。

   2) 我妈妈没有我爸爸忙。

   3) 昨天的雨没有今天的雨大。

   4) 广州冬天没有北京冬天冷。

   5) 今天没有昨天热。

4. 1) 伦敦冬天天气怎么样?

   2) 北京夏天经常下雨吗?

   3) 广州下雪吗?

   4) 昨天气温多少度?

   5) 昨天的雨多大?

5. 1) c 2) b 3) b 4) c 5) a

Lesson 26

1. 1) c 2) d 3) f 4) b 5) a

2. 1) c 2) b 3) b 4) c 5) a

3. 1) When I watch TV, I like to drink coffee.

   2) I was reading when he came to my house.

   3) The winter in Beijing is very cold. It's windy and snowy. Sometimes the snow is very heavy.

   4) When I went to the office, Secretary Lin was answering the telephone.

   5) When I was in university, I like to play tennis.

4. 1) 你现在做什么呢?

   2) 我正在给朋友写邮件呢。

3) 她正在打电话呢。

4) 他们现在正在吃午饭。

5) 他来的时候，我正在看报纸。

5. 1) a   2) c   3) b   4) c   5) a

Lesson 27

1. 1) c   2) d   3) e   4) a   5) b
2. 1) c   2) b   3) d   4) e   5) a
3. 1) c   2) e   3) d   4) a   5) b

4. 1) How many days will you get for Christmas holiday?

2) Every morning, I go for jogging first, and then have a breakfast.

3) This is my first time to come to Shanghai. There are so many people!

4) I've been to Hong Kong many times. I will go again at the end of this year.

5) It's cloudy. It's going to rain soon.

5. 1) 听说你很快就要去中国了。

2) 你要在中国住多久？

3) 你想去中国哪些地方看看？

4) 你什么时候去北京？

5) 在北京你住在哪儿？

6. 1) c   2) c   3) a   4) b   5) c

Lesson 28

1. 1) d   2) a   3) e   4) c   5) b   6) h   7) j   8) f   9) i   10) g
2. 1) d   2) e   3) b   4) a   5) c

3. 1) What's wrong with you? Where is it unwell?

2) Have you got a cold? Do you have a temperature?

3) When do you want to go to the hospital to see a doctor?

4) Do you want to take Chinese medicine or Western medicine?

5) How many times should I take this medicine a day? How to take it?

4. 1) 今天我不舒服了。

2) 我有点儿头疼。

3) 你应该去医院看病。

4) 我感冒了，不能去上班。

5) 医生告诉我应该休息几天。

5. 1) c   2) b   3) c   4) b   5) a

Lesson 29

1. 1) c   2) a   3) d   4) e   5) b

2. 1) How is your spoken English ?

2) Is Jack playing tennis well?

3) Is this little boy eating a lot?

4) Time flies!

5) He plays football very well.

3. 1) 他跑得很快。

2) 这个学生看得很慢。

3) 今天早上我起得很早。

4) 雨下得很大。

5) 这个小女孩穿得很漂亮。

4. 1) 新年快乐!

2) 圣诞快乐!

3) 祝你生日快乐!

4) 周末快乐!

5) 祝你好运!

5. 1) b   2) c   3) a   4) c   5) c

Lesson 30

1. (1) 1) c 2) b 3) b 4) a 5) a

(2) 1) c 2) b 3) b 4) c 5) c

2. (1) 1) d 2) b 3) e 4) c 5) a

(2) b 2) c 3) a 4) c 5) b

(3) edcab   2) fbdaec   3) dcfeab   4) cdaeb   5) bfdeac

Appendix IV   Abbreviations of Grammatical Terms

Yǔfǎ shùyǔ jiǎnluèbiǎo
语法术语简略表

名称 Terms	简称 Abbreviations	英文 English
Míngchēng	*Jiǎnchēng*	*Yīngwén*
形容词 xíngróngcí	adj	adjective
副词 fùcí	adv	adverb
补语 bǔyǔ	comp	complement
连词 liáncí	conj	conjunction
惯用语 guànyòngyǔ	i.e	idiomatic expression
叹词 tàncí	int	interjection
方位词 fāngwèicí	l.w	location word
助动词 zhùdòngcí	m.v	modal verb
量词 liàngcí	m.w	measure word
名词 míngcí	n	noun
数词 shùcí	num	numeral
宾语 bīnyǔ	o	object
助词 zhùcí	pt	particle
谓语 wèiyǔ	p	predicate
专有名词 zhuānyǒu míngcí	p.n	proper noun
介词 jiècí	prep	preposition
疑问词 yíwèncí	q.w	question word
主语 zhǔyǔ	s	subject
时间词 shíjiāncí	t.w	time word
动词 dòngcí	v	verb
动宾词组 dòng-bīn cízǔ	v-o	verb-object
前缀 qiánzhuì		prefix
后缀 hòuzhuì		suffix

Appendix Ⅴ Chinese-English Vocabulary List

Hàn-Yīng cíhuìbiǎo
汉 英 词汇表

Character	Pinyin	English	Lesson
		A	
爱好	àihào	*hobby, interest*	13
爱人	àiren	*spouse, husband or wife*	9
		B	
八	bā	*eight*	4
巴黎	Bālí	*Paris*	22
爸爸	bàba	*dad/father*	9
吧	ba	*an interrogative or suggestive particle*	7
白（色）	bái (sè)	*white (colour)*	16
白饭	báifàn	*plain rice*	19
白天	báitiān	*daytime, during the day*	20
百	bǎi	*hundred*	14
版	bǎn	*edition*	26
办法	bànfǎ	*way, means, method*	29
办公室	bàngōngshì	*office*	8
半	bàn	*half*	5
保险	bǎoxiǎn	*insurance*	10
报	bào	*report, newspaper*	26
报纸	bàozhǐ	*newspaper*	26
杯	bēi	*cup of, cup*	21
北海公园	Běihǎi Gōngyuán	*name of a park in Beijing*	22
北京	Běijīng	*Beijing*	3
北京大学	Běijīng Dàxué	*Peking University (in China)*	29
本	běn	*for books*	15
比	bǐ	*compare, than*	25
毕业	bìyè	*graduate*	27
边	biān	*side, edge*	23
别	bié	*don't, better not*	28
别的	bié de	*other*	16
病	bìng	*sick, ill*	28
博客	bókè	*blog*	13

博物馆	bówùguǎn	*museum*	20
不	bù	*no, not*	1
不错	búcuò	*not bad, pretty good*	1
不过	búguò	*but, however*	26
不客气	bú kèqi	*you're welcome*	5

C

菜单	càidān	*menu*	19
参观	cānguān	*visit*	20
餐厅	cāntīng	*restaurant*	20
层	céng	*floor*	20
差	chà	*be short of, less*	5
差不多	chàbuduō	*almost, nearly, more or less*	25
常	cháng	*often*	13
长	cháng	*long*	16
长春	Chángchūn	*name of a city in China*	27
超市	chāoshì	*supermarket*	15
朝阳路	Cháoyáng Lù	*street name*	8
炒饭	chǎofàn	*fried rice*	19
衬衫	chènshān	*shirt*	16
吃	chī	*eat*	5
出租车	chūzūchē	*taxi*	22
初	chū	*the beginning of, the early part of*	27
穿	chuān	*wear*	16
船	chuán	*ship, boat*	22
春节	Chūn Jié	*Spring Festival (Chinese New Year)*	4
春天	chūntiān	*spring*	25
词典	cídiǎn	*dictionary*	15
次	cì	*times (for verb)*	27
从	cóng	*from*	7

D

打	dǎ	*dial (a phone number)*	11
打	dǎ	*hit, play (in a sport or game)*	13
打电话	dǎ diànhuà	*make a phone call*	11
打算	dǎsuan	*plan, intend*	17
大	dà	*big, large*	9
大巴	dàbā	*coach, tourist bus*	20
大夫	dàifu	*doctor*	28
大概	dàgài	*probably, roughly, about*	11

大家	dàjiā	everybody	1
大连	Dàlián	name of a city in China	27
大使馆	dàshǐguǎn	embassy	23
大学	dàxué	university	10
大衣	dàyī	overcoat	16
单人间	dānrénjiān	single room	17
但是	dànshì	but	15
当然	dāngrán	of course	26
到	dào	to, up to	7
得	děi	have to, must	22
得	de	verb complement marker	29
德语	Déyǔ	German language	3
的	de	of, ~'s (possessive particle)	2
登录名	dēnglùmíng	username	20
等	děng	wait	11
……的时候	…de shíhou	when, while	26
底	dǐ	end (of the month, year)	27
地铁	dìtiě	tube, underground	22
地铁站	dìtiězhàn	tube station	22
地图	dìtú	map	15
地下	dìxià	underground, basement	20
地址	dìzhǐ	address	8
弟弟	dìdi	younger brother	9
第	dì	indicating ordinal number	27
点	diǎn	o'clock	5
点菜	diǎn cài	order dishes	19
电话	diànhuà	telephone	8
电脑	diànnǎo	computer	10
电视	diànshì	television	26
电影	diànyǐng	film, movie	7
电子	diànzǐ	electronic	8
电子邮件	diànzǐ yóujiàn	email	8
订	dìng	book (seats, tickets)	17
东北	dōngběi	northeast	27
东环公寓	Dōnghuán Gōngyù	name of an apartment	8
东西	dōngxi	things, goods	14
冬天	dōngtiān	winter	25
都	dōu	all, both	2

豆腐	dòufu	bean curd, tofu	19
肚子	dùzi	stomach, abdomen	28
度	dù	degree	25
度假	dùjià	go on holiday	27
短	duǎn	short	16
对	duì	correct	19
对不起	duìbuqǐ	sorry	11
对面	duìmiàn	opposite	23
多大	duō dà	how old, how big	9
多大号	duō dà hào	what size?	16
多久	duō jiǔ	how long (time)?	17
多少	duōshao	how many, how much	8
多少钱	duōshao qián	how much (money)?	15
多长	duō cháng	how long	23

E

儿子	érzi	son	9
二	èr	two	4

F

发烧	fāshāo	have a fever/temperature	28
法语	Fǎyǔ	French language	3
饭	fàn	meal	5
饭店	fàndiàn	hotel	14
饭馆	fànguǎn	restaurant	17
饭后	fànhòu	after a meal	28
饭前	fànqián	before a meal	28
方便	fāngbiàn	convenient, make things easy	17
方兰	Fāng Lán	a Chinese name	1
房间	fángjiān	room	8
放假	fàngjià	have a holiday or vacation	27
飞机	fēijī	airplane	22
非常	fēicháng	very, extremely	13
分	fēn	minute	5
分公司	fēngōngsī	branch company	27
分钟	fēnzhōng	minute	23
服务员	fúwùyuán	waiter/waitress	19
父母亲	fùmǔqin	parents	9
父亲	fùqin	father	9
附近	fùjìn	nearby	14

G

赶快	gǎnkuài	*hurry up, quickly*	20
感冒	gǎnmào	*have a cold*	28
干	gàn	*do*	26
干杯	gānbēi	*cheers (proposing a toast)*	29
干燥	gānzào	*dry*	25
刚才	gāngcái	*just now*	11
高朋	Gāo Péng	*a Chinese name*	1
高兴	gāoxìng	*happy, glad*	2
告诉	gàosu	*tell*	11
哥哥	gēge	*elder brother*	9
个	gè	*for people or objects in general*	9
给	gěi	*give, for*	11
给您	gěi nín	*here you are*	14
跟	gēn	*go with, follow closely*	20
工作	gōngzuò	*work, job*	10
公共	gōnggòng	*public*	22
公共汽车	gōnggòng qìchē	*bus*	22
公寓	gōngyù	*apartment*	8
公园	gōngyuán	*park*	22
刮风	guāfēng	*be windy*	25
拐	guǎi	*turn*	23
关	guān	*close, turn off*	5
关机	guānjī	*turn off, power off*	11
光华路	Guānghuá Lù	*name of a road in Beijing*	23
广场	guǎngchǎng	*square*	20
广州	Guǎngzhōu	*name of a city in China*	25
贵	guì	*honoured, noble, expensive*	2
国	guó	*country, state*	3
国家	guójiā	*nation, country*	20
过	guò	*after a verb to indicate a past*	21
过	guò	*pass, cross, go over*	23
过奖	guòjiǎng	*overpraise, flatter*	29

H

哈尔滨	Hā'ěrbīn	*name of a city in China*	27
还	hái	*as well, in addition, also*	17
还是	háishi	*or (only used in questions)*	19
孩子	háizi	*kid, child*	9

海外	hǎiwài	*overseas, abroad*	26
海外版	hǎiwàibǎn	*overseas edition*	26
汉英词典	Hàn-Yīng cídiǎn	*Chinese-English dictionary*	15
汉语	Hànyǔ	*Chinese*	3
汉字	Hànzì	*Chinese character*	13
好	hǎo	*good, well*	1
好吃	hǎochī	*delicious, tasty*	19
好好	hǎohǎo	*properly*	28
好喝	hǎohē	*tasty (drinks)*	21
好像	hǎoxiàng	*seem, look like*	26
好运	hǎoyùn	*good luck*	29
号	hào	*number, date, size*	4
号码	hàomǎ	*number*	8
合适	héshì	*fit, suitable*	16
和	hé	*and*	3
荷兰	Hélán	*Netherlands*	3
黑（色）	hēi (sè)	*black (colour)*	16
很	hěn	*very*	1
红（色）	hóng (sè)	*red (colour)*	16
红绿灯	hónglǜdēng	*traffic light*	23
后	hòu	*behind, back, after*	23
护士	hùshi	*nurse*	10
护照	hùzhào	*passport*	20
换	huàn	*change, exchange*	14
回	huí	*return*	11
回电话	huí diànhuà	*call back*	11
回来	huílái	*come back*	27
汇率	huìlǜ	*exchange rate*	14
会	huì	*can, be able to*	13
会	huì	*party, gathering, meeting*	7
火车	huǒchē	*train*	17
火车站	huǒchēzhàn	*train station*	22
或者	huòzhě	*or*	19

J

机场	jīchǎng	*airport*	14
机票	jīpiào	*plane ticket*	17
鸡	jī	*chicken*	19
几	jǐ	*how many, what (date, time)*	4

计划	jìhuà	plan	17
加	jiā	add	21
家	jiā	family, home	9
见	jiàn	meet, see	1
件	jiàn	for clothes	16
健康	jiànkāng	healthy, sound, health	29
健身房	jiànshēnfáng	gym	20
叫	jiào	call, be called	2
接	jiē	pick up, receive	11
接电话	jiē diànhuà	answer the phone	11
街	jiē	street	8
节省	jiéshěng	save	17
姐姐	jiějie	elder sister	9
介绍	jièshào	introduce	3
斤	jīn	Chinese unit of weight (0.5 kg)	15
今年	jīnnián	this year	4
今天	jīntiān	today	4
京川饭馆	Jīngchuān Fànguǎn	name of a restaurant	17
……极了	...jíle	extremely	7
经理	jīnglǐ	manager	10
九	jiǔ	nine	4
酒	jiǔ	wine, liquor	21
酒吧	jiǔbā	pub, bar	21
就	jiù	just (emphasis)	23

K

咖啡	kāfēi	coffee	21
咖啡馆	kāfēiguǎn	café	23
咖世家	Kāshìjiā	Costa (name of a coffee shop)	23
开	kāi	open, start, operate (a car, machine)	5
开车	kāichē	drive (a car)	22
开会	kāihuì	hold or attend a meeting	26
看	kàn	look at, see, watch, read, visit	7
看病	kànbìng	see a doctor	28
烤鸭	kǎoyā	roast duck	7
咳嗽	késou	cough	28
可口可乐	kěkǒu-kělè	Coca-Cola	21
可能	kěnéng	possible, probable	27
可是	kěshì	but	21

可以	kěyǐ	*may, can*	13
空	kòng	*free (or spare) time*	7
口	kǒu	*for family members*	9
裤子	kùzi	*trousers*	16
块	kuài	*unit of RMB (informal)*	14
快	kuài	*fast, quick, rapid*	17
会计	kuàijì	*accountant, accounting*	10
会计师	kuàijìshī	*certified accountant*	10
快乐	kuàilè	*happy, merry, joyful*	29

L

辣	là	*strong (for alcoholic drinks)*	21
来	lái	*bring (as a substitute for some other verb)*	21
来	lái	*let, allow, come*	3
来自	láizì	*be from, come from*	3
蓝（色）	lán (sè)	*blue (colour)*	16
老板	lǎobǎn	*boss*	27
老师	lǎoshī	*teacher*	1
了	le	*indicate a change of situation*	10
累	lèi	*tired*	1
冷	lěng	*cold*	25
离	lí	*be away from*	22
里	lǐ	*inside*	20
练	liàn	*practise, drill*	29
两	liǎng	*two*	5
聊天	liáotiān	*chat*	26
零	líng	*zero*	4
留言	liúyán	*leave message*	11
流利	liúlì	*fluent*	29
六	liù	*six*	4
楼	lóu	*building, floor*	8
路	lù	*road*	8
路口	lùkǒu	*crossing, road junction*	23
伦敦	Lúndūn	*London*	3
罗杰	Luójié	*Roger*	3
罗马	Luómǎ	*Rome*	22
旅行	lǚxíng	*travel*	27
律师	lǜshī	*lawyer*	10
绿茶	lǜchá	*green tea*	21

M

妈妈	māma	*mum/mother*	9
马	Mǎ	*a Chinese surname*	2
马马虎虎	mǎmǎhūhū	*so-so*	1
马上	mǎshàng	*immediately, right now*	19
吗	ma	*a question marker*	1
买	mǎi	*buy*	14
买东西	mǎi dōngxi	*do shopping*	14
卖	mài	*sell*	15
忙	máng	*busy*	1
毛	máo	*unit of RMB (informal)*	14
没	méi	*not have, there is not*	9
没关系	méi guānxi	*it doesn't matter*	11
没人	méi rén	*nobody, none*	11
没问题	méi wèntí	*no problem*	15
每	měi	*every*	5
每天	měi tiān	*every day*	5
美食天堂	měishí tiāntáng	*gourmet paradise, food heaven*	21
美元	Měiyuán	*US dollar*	14
妹妹	mèimei	*younger sister*	9
门	mén	*door*	5
们	men	*a plural form*	1
米饭	mǐfàn	*cooked rice*	19
秘书	mìshū	*secretary*	10
密码	mìmǎ	*password*	20
名酒	míngjiǔ	*well-know liquor*	21
名字	míngzi	*name*	2
明天	míngtiān	*tomorrow*	4
末	mò	*end*	7
母亲	mǔqin	*mother*	9

N

哪	nǎ	*which*	3
哪儿	nǎr	*where*	8
哪里	nǎli	*where*	3
哪里哪里	nǎli nǎli	*you're too kind, you flatter me*	29
那	nà	*that*	2
那么	nàme	*so, like that, in that case*	29
南	nán	*south*	23

难	nán	*difficult, hard*	26
难怪	nánguài	*no wonder*	29
呢	ne	*a particle for follow-up questions*	1
能	néng	*be able to, can, be capable*	13
你	nǐ	*you*	1
你好	nǐ hǎo	*hello*	1
年	nián	*year*	4
年纪	niánjì	*age*	9
您	nín	*you (polite)*	2
您贵姓	nín guìxìng	*what's your surname? (polite)*	2
牛奶	niúnǎi	*milk*	21
牛肉	niúròu	*beef*	19
纽约	Niǔyuē	*name of a city in the USA*	25
暖和	nuǎnhuo	*warm*	25
女儿	nǚ'ér	*daughter*	9
女士	nǚshì	*Ms*	2

O

| 欧元 | Ōuyuán | *euro* | 14 |

P

派	pài	*send, appoint, assign*	27
旁边	pángbiān	*next to, beside*	23
跑步	pǎobù	*jog, run*	13
朋友	péngyou	*friend*	2
啤酒	píjiǔ	*beer*	21
便宜	piányi	*cheap*	17
片	piàn	*for tablet, pill*	28
票	piào	*ticket*	17
拼音	pīnyīn	*Chinese Romanisation*	15
苹果	píngguǒ	*apple*	15
瓶	píng	*bottle of, bottle*	21

Q

七	qī	*seven*	4
骑	qí	*ride*	22
起床	qǐchuáng	*get up*	5
汽车	qìchē	*car*	22
千	qiān	*thousand*	14
前	qián	*front, ahead, before*	23

钱	qián	money	14
青菜	qīngcài	green vegetable	19
青岛	Qīngdǎo	name of a Chinese city	21
请	qǐng	invite, to treat (to a meal etc.)	7
请	qǐng	please	2
请问	qǐngwèn	may I ask, excuse me	2
琼斯	Qióngsī	Jones	3
秋天	qiūtiān	autumn	25
球	qiú	ball	13
去	qù	go	7

R

然后	ránhòu	then, after	27
让	ràng	let, allow	14
热	rè	hot	25
人	rén	people, person	3
人民	rénmín	people	26
人民币	Rénmínbì	Chinese currency (RMB)	14
《人民日报》	《Rénmín Rìbào》	People's Daily (newspaper)	26
认识	rènshi	recognise, know	2
日	rì	date, day (formal)	4
日报	rìbào	daily newspaper	26
肉	ròu	meat	19
软件	ruǎnjiàn	software	10

S

三	sān	three	4
三里屯	Sānlǐtún	name of an area in Beijing	21
嗓子	sǎngzi	throat	28
商店	shāngdiàn	shop	5
上	shàng	last, most recent, former	7
上班	shàngbān	go to work	7
上海	Shànghǎi	Shanghai	3
上网	shàngwǎng	surf the Internet	13
上午	shàngwǔ	morning	5
什么时候	shénme shíhou	when	7
什么时间	shénme shíjiān	what time, when	7
什么样	shénmeyàng	what kind?	17
生日	shēngrì	birthday	4

生日会	shēngrìhuì	birthday party	7
圣诞节	Shèngdàn Jié	Christmas	4
师	shī	person skilled in a certain	10
十	shí	ten	4
时间	shíjiān	time	7
市场	shìchǎng	market	22
式	shì	style, type	20
事	shì	matter, things, issue	11
试	shì	try, test	16
是	shì	to be	2
是的	shì de	yes, that's right	8
手机	shǒujī	mobile phone	8
书	shū	book	13
书店	shūdiàn	bookshop	15
舒服	shūfu	comfortable	28
双	shuāng	for shoes, socks, chopsticks	16
谁	shuí	who	2
水果	shuǐguǒ	fruit	15
顺利	shùnlì	smooth, successful	29
说	shuō	speak	3
四	sì	four	4
四季	sìjì	four seasons	25
素菜	sùcài	vegetable dish	19
素食者	sùshízhě	vegetarian	19
岁	suì	year (of age)	9

T

他	tā	he, him	1
她	tā	she, her	2
太……了	tài…le	extremely…, too…	7
太太	tàitai	Mrs, wife	3
糖	táng	sugar	21
疼	téng	painful	28
踢	tī	kick, play	13
天	tiān	day	4
天安门广场	Tiān'ānmén Guǎngchǎng	Tiananmen Square	20
天津	Tiānjīn	name of a Chinese city	21
天气	tiānqì	weather	25
条	tiáo	for long thin things	16

听说	tīngshuō	hear of, be told	21
同学	tóngxué	classmate	26
头	tóu	head	28
头疼	tóuténg	headache	28
推特	tuītè	Twitter	26
退休	tuìxiū	retire	10

W

外币	wàibì	foreign currency	14
外语	wàiyǔ	foreign language	13
玩	wán	play, have fun	13
晚上	wǎnshang	evening	5
碗	wǎn	bowl of, bowl	19
王	Wáng	a Chinese surname	2
王小玉	Wáng Xiǎoyù	a Chinese name	2
网球	wǎngqiú	tennis	13
网上	wǎngshàng	online	17
网站	wǎngzhàn	website	17
往	wǎng	towards	23
微信	wēixìn	WeChat	8
为什么	wèishénme	why	17
位	wèi	for person (polite)	11
味道	wèidào	taste	21
喂	wèi	hello, hey	11
问	wèn	ask	2
问题	wèntí	problem, question, issue	15
我	wǒ	I, me	1
无线网	wúxiànwǎng	Wi-Fi	20
五	wǔ	five	4
午饭	wǔfàn	lunch	5

X

西瓜	xīguā	watermelon	15
西式	xīshì	Western style	20
西药	xīyào	Western medicine	28
喜欢	xǐhuan	like, enjoy	13
下	xià	fall, come down	25
下	xià	next (in time or order)	7
下午	xiàwǔ	afternoon	5
下雪	xià xuě	snow	25

夏天	xiàtiān	*summer*	25
先	xiān	*first*	27
先生	xiānsheng	*Mr, gentleman, husband*	2
现在	xiànzài	*now, at the moment*	4
想	xiǎng	*want to, think, miss*	13
小	xiǎo	*small, little*	9
小时	xiǎoshí	*hour*	23
小学	xiǎoxué	*primary school*	10
小雨	xiǎoyǔ	*drizzle, light rain*	25
些	xiē	*for a small amount*	15
鞋	xié	*shoes*	16
写	xiě	*write*	13
谢谢	xièxie	*thanks*	5
新东街	Xīndōng Jiē	*street name*	8
秀水街市场	Xiùshuǐjiē Shìchǎng	*name of a market in Beijing*	22
信用卡	xìnyòngkǎ	*credit card*	15
星巴克	Xīngbākè	*Starbucks (name of a coffee shop)*	23
星期	xīngqī	*week, day of the week*	4
行	xíng	*all right, OK*	5
幸福	xìngfú	*happiness, happy*	29
姓	xìng	*be surnamed*	2
兄弟姐妹	xiōngdì jiěmèi	*siblings*	9
休息	xiūxi	*rest*	28
学	xué	*study, learn*	10
学生	xuésheng	*student*	10
学习	xuéxí	*study, learn*	10
学校	xuéxiào	*school*	10
雪	xuě	*snow*	25

Y

颜色	yánsè	*colour*	16
羊肉	yángròu	*lamb*	19
样子	yàngzi	*style*	16
药	yào	*medicine*	28
要	yào	*want, need*	11
也	yě	*also, too, either*	1
一	yī	*one*	4
一定	yídìng	*certainly, definitely*	11
一共	yígòng	*altogether*	15

一会儿	yíhuìr	a little while, in a moment	26
一刻	yí kè	a quarter (time)	5
一起	yìqǐ	together	7
一切	yíqiè	everything, all	29
一下	yíxià	briefly, a bit	3
一些	yìxiē	a number of, some, a few	15
一样	yíyàng	same, the same as	25
一直	yìzhí	straight	23
医生	yīshēng	doctor	10
医院	yīyuàn	hospital	10
已经	yǐjīng	already	20
以后	yǐhòu	after, later	27
以前	yǐqián	before, in the past	27
意大利	Yìdàlì	Italy	3
阴天	yīntiān	cloudy day	25
银行	yínháng	bank	10
英镑	Yīngbàng	pound sterling	14
英国	Yīngguó	Britain, UK	3
英文	Yīngwén	English (language or writing)	15
英语	Yīngyǔ	English language	3
应该	yīnggāi	should	17
用	yòng	use	8
邮件	yóujiàn	mail	8
游览	yóulǎn	go sight-seeing, tour, visit	15
游览图	yóulǎntú	tourist map	15
游戏	yóuxì	game	13
游泳	yóuyǒng	swim, swimming	13
有	yǒu	have	7
有点儿	yǒudiǎnr	a bit, somewhat	16
有名	yǒumíng	famous	21
有时候	yǒushíhou	sometimes	25
又……又……	yòu…yòu…	both... and...	17
右	yòu	right	23
鱼	yú	fish	19
雨	yǔ	rain	25
语	yǔ	language	3
预报	yùbào	forecast	25
预订	yùdìng	reservation, book ahead	17

元	yuán	*unit of RMB*	14
远	yuǎn	*far*	22
月	yuè	*month*	4
运动	yùndòng	*sport, exercise*	13

Z

再	zài	*again*	1
再见	zàijiàn	*goodbye, see you again*	1
在	zài	*be at, in, be located*	8
在	zài	*indicating action in progress*	26
早餐	zǎocān	*breakfast*	20
早饭	zǎofàn	*breakfast*	5
早上	zǎoshang	*early morning*	5
怎么了	zěnme le	*What's the matter? What's wrong?*	28
怎么样	zěnmeyàng	*how are things?*	1
张	zhāng	*for flat objects*	15
找	zhǎo	*look for, find*	11
这	zhè	*this*	2
这么	zhème	*so, such, like this*	29
真	zhēn	*real, true, really, truly*	11
正	zhèng	*just (doing something)*	26
正	zhèng	*just, exactly*	16
正在	zhèngzài	*in the process of*	26
只	zhī	*for poultry, animal*	19
只	zhǐ	*only*	9
只有	zhǐyǒu	*only, have to*	29
知道	zhīdào	*know*	14
中国	Zhōngguó	*China*	3
中号	zhōnghào	*medium size*	16
中式	zhōngshì	*Chinese style*	20
中文	Zhōngwén	*Chinese (language or writing)*	13
中午	zhōngwǔ	*noon*	5
中心	zhōngxīn	*centre*	23
中药	zhōngyào	*Chinese medicine*	28
种	zhǒng	*type, kind, sort*	16
周	zhōu	*week*	7
周末	zhōumò	*weekend*	7
猪肉	zhūròu	*pork*	19
主意	zhǔyi	*idea*	27

住	zhù	*live, stay*	8
祝	zhù	*wish, hope*	29
祝愿	zhùyuàn	*wish, hope for*	29
桌	zhuō	*table, desk*	17
自行车	zìxíngchē	*bicycle*	22
走路	zǒulù	*go on foot, walk*	22
足球	zúqiú	*football*	13
最	zuì	*most, -est (superlative)*	14
最好	zuìhǎo	*best, it's better*	14
最近	zuìjìn	*recently, lately*	1
昨天	zuótiān	*yesterday*	4
昨晚	zuówǎn	*last night*	28
左	zuǒ	*left*	23
坐	zuò	*sit*	19
做	zuò	*do, make*	10

Appendix VI English-Chinese Vocabulary List

英 汉 词汇表

English	Pinyin	Character	Lesson
	A		
a bit, somewhat	yǒudiǎnr	有点儿	16
a Chinese name	Fāng Lán	方兰	1
a Chinese name	Gāo Péng	高朋	1
a Chinese name	Wáng Xiǎoyù	王小玉	2
a Chinese surname	Mǎ	马	2
a Chinese surname	Wáng	王	2
a little while, in a moment	yíhuìr	一会儿	26
a number of, some, a few	yìxiē	一些	15
a particle for follow-up questions	ne	呢	1
a plural form	men	们	1
a quarter (time)	yí kè	一刻	5
a question marker	ma	吗	1
accountant, accounting	kuàijì	会计	10
action			21
add	jiā	加	21
address	dìzhǐ	地址	8
after a meal	fànhòu	饭后	28
after a verb to indicate a past	guò	过	21
after, later	yǐhòu	以后	27
afternoon	xiàwǔ	下午	5
again	zài	再	1
age	niánjì	年纪	9
airplane	fēijī	飞机	22
airport	jīchǎng	机场	14
all right, OK	xíng	行	5
all, both	dōu	都	2
almost, nearly, more or less	chàbuduō	差不多	25
already	yǐjīng	已经	20
also, too, either	yě	也	1
altogether	yígòng	一共	15

an interrogative or suggestive particle	ba	吧	7
and	hé	和	3
answer the phone	jiē diànhuà	接电话	11
apartment	gōngyù	公寓	8
apple	píngguǒ	苹果	15
as well, in addition, also	hái	还	17
ask	wèn	问	2
autumn	qiūtiān	秋天	25
	B		
ball	qiú	球	13
bank	yínháng	银行	10
be able to, can, be capable	néng	能	13
be at, in, be located	zài	在	8
be away from	lí	离	22
be from, come from	láizì	来自	3
be short of, less	chà	差	5
be surnamed	xìng	姓	2
be windy	guāfēng	刮风	25
bean curd, tofu	dòufu	豆腐	19
beef	niúròu	牛肉	19
beer	píjiǔ	啤酒	21
before a meal	fànqián	饭前	28
before, in the past	yǐqián	以前	27
behind, back, after	hòu	后	23
Beijing	Běijīng	北京	3
best, it's better	zuìhǎo	最好	14
bicycle	zìxíngchē	自行车	22
big, large	dà	大	9
birthday	shēngrì	生日	4
birthday party	shēngrìhuì	生日会	7
black (colour)	hēi (sè)	黑（色）	16
blog	bókè	博客	13
blue (colour)	lán (sè)	蓝（色）	16
book	shū	书	13
book (seats, tickets)	dìng	订	17
bookshop	shūdiàn	书店	15
boss	lǎobǎn	老板	27
both... and...	yòu... yòu...	又……又……	17

bottle of, bottle	píng	瓶	21
bowl of, bowl	wǎn	碗	19
branch company	fēngōngsī	分公司	27
breakfast	zǎofàn	早饭	5
breakfast	zǎocān	早餐	20
briefly, a bit	yíxià	一下	3
bring (as a substitute for some other verb)	lái	来	21
Britain, UK	Yīngguó	英国	3
building, floor	lóu	楼	8
bus	gōnggòng qìchē	公共汽车	22
busy	máng	忙	1
but	dànshì	但是	15
but	kěshì	可是	21
but, however	búguò	不过	26
buy	mǎi	买	14

C

café	kāfēiguǎn	咖啡馆	23
call back	huí diànhuà	回电话	11
call, be called	jiào	叫	2
can, be able to	huì	会	13
car	qìchē	汽车	22
centre	zhōngxīn	中心	23
certainly, definitely	yídìng	一定	11
certified accountant	kuàijìshī	会计师	10
change, exchange	huàn	换	14
chat	liáotiān	聊天	26
cheap	piányi	便宜	17
cheers (proposing a toast)	gānbēi	干杯	29
chicken	jī	鸡	19
China	Zhōngguó	中国	3
Chinese	Hànyǔ	汉语	3
Chinese (language or writing)	Zhōngwén	中文	13
Chinese character	Hànzì	汉字	13
Chinese currency (RMB)	Rénmínbì	人民币	14
Chinese medicine	zhōngyào	中药	28
Chinese Romanisation	pīnyīn	拼音	15
Chinese style	zhōngshì	中式	20
Chinese unit of weight (0.5 kg)	jīn	斤	15

Chinese-English dictionary	Hàn-Yīng cídiǎn	汉英词典	15
Christmas	Shèngdàn Jié	圣诞节	4
classmate	tóngxué	同学	26
close, turn off	guān	关	5
cloudy day	yīntiān	阴天	25
coach, tourist bus	dàbā	大巴	20
Coca-Cola	kěkǒu-kělè	可口可乐	21
coffee	kāfēi	咖啡	21
cold	lěng	冷	25
colour	yánsè	颜色	16
come back	huílái	回来	27
comfortable	shūfu	舒服	28
compare, than	bǐ	比	25
computer	diànnǎo	电脑	10
convenient, make things easy	fāngbiàn	方便	17
cooked rice	mǐfàn	米饭	19
correct	duì	对	19
Costa (name of a coffee shop)	Kāshìjiā	咖世家	23
cough	késou	咳嗽	28
country, state	guó	国	3
credit card	xìnyòngkǎ	信用卡	15
crossing, road junction	lùkǒu	路口	23
cup of, cup	bēi	杯	21

D

dad/father	bàba	爸爸	9
daily newspaper	rìbào	日报	26
date, number, size	hào	号	4
date, day (formal)	rì	日	4
daughter	nǚ'ér	女儿	9
day	tiān	天	4
daytime, during the day	báitiān	白天	20
degree	dù	度	25
delicious, tasty	hǎochī	好吃	19
dial (a phone number)	dǎ	打	11
dictionary	cídiǎn	词典	15
difficult, hard	nán	难	26
do	gàn	干	26
do shopping	mǎi dōngxi	买东西	14

do, make	zuò	做	10
doctor	yīshēng	医生	10
doctor	dàifu	大夫	28
don't, better not	bié	别	28
door	mén	门	5
drive (a car)	kāichē	开车	22
drizzle, light rain	xiǎoyǔ	小雨	25
dry	gānzào	干燥	25

E

early morning	zǎoshang	早上	5
eat	chī	吃	5
edition	bǎn	版	26
eight	bā	八	4
elder brother	gēge	哥哥	9
elder sister	jiějie	姐姐	9
electronic	diànzǐ	电子	8
email	diànzǐ yóujiàn	电子邮件	8
embassy	dàshǐguǎn	大使馆	23
end	mò	末	7
end (of the month, year)	dǐ	底	27
English (language or writing)	Yīngwén	英文	15
English language	Yīngyǔ	英语	3
euro	Ōuyuán	欧元	14
evening	wǎnshang	晚上	5
every	měi	每	5
every day	měi tiān	每天	5
everybody	dàjiā	大家	1
everything, all	yíqiè	一切	29
exchange rate	huìlǜ	汇率	14
extremely	... jíle	……极了……	7
extremely..., too...	tài... le	太……了	7

F

fall, come down	xià	下	25
family, home	jiā	家	9
famous	yǒumíng	有名	21
far	yuǎn	远	22
fast, quick, rapid	kuài	快	17
father	fùqin	父亲	9

film, movie	diànyǐng	电影	7
first	xiān	先	27
fish	yú	鱼	19
fit, suitable	héshì	合适	16
five	wǔ	五	4
floor	céng	层	20
fluent	liúlì	流利	29
football	zúqiú	足球	13
for a small amount	xiē	些	15
for books	běn	本	15
for clothes	jiàn	件	16
for family members	kǒu	口	9
for flat objects	zhāng	张	15
for long thin things	tiáo	条	16
for people or objects in general	gè	个	9
for person (polite)	wèi	位	11
for poultry, animal	zhī	只	19
for shoes, socks, chopsticks	shuāng	双	16
for tablet, pill	piàn	片	28
forecast	yùbào	预报	25
foreign currency	wàibì	外币	14
foreign language	wàiyǔ	外语	13
four	sì	四	4
four seasons	sìjì	四季	25
free (or spare) time	kòng	空	7
French language	Fǎyǔ	法语	3
fried rice	chǎofàn	炒饭	19
friend	péngyou	朋友	2
from	cóng	从	7
front, ahead, before	qián	前	23
fruit	shuǐguǒ	水果	15

G

game	yóuxì	游戏	13
German language	Déyǔ	德语	3
get up	qǐchuáng	起床	5
give, for	gěi	给	11
go	qù	去	7
go on foot, walk	zǒulù	走路	22

go on holiday	dùjià	度假	27
go sight-seeing, tour, visit	yóulǎn	游览	15
go to work	shàngbān	上班	7
go with, follow closely	gēn	跟	20
good luck	hǎoyùn	好运	29
good, well	hǎo	好	1
goodbye, see you again	zàijiàn	再见	1
gourmet paradise, food heaven	měishí tiāntáng	美食天堂	21
graduate	bìyè	毕业	27
green tea	lǜchá	绿茶	21
green vegetable	qīngcài	青菜	19
gym	jiànshēnfáng	健身房	20

H

half	bàn	半	5
happiness, happy	xìngfú	幸福	29
happy, glad	gāoxìng	高兴	2
happy, merry, joyful	kuàilè	快乐	29
have	yǒu	有	7
have a cold	gǎnmào	感冒	28
have a fever/temperature	fāshāo	发烧	28
have a holiday or vacation	fàngjià	放假	27
have to, must	děi	得	22
he, him	tā	他	1
head	tóu	头	28
headache	tóuténg	头疼	28
healthy, sound, health	jiànkāng	健康	29
hear of, be told	tīngshuō	听说	21
hello	nǐ hǎo	你好	1
hello, hey	wèi	喂	11
here you are	gěi nín	给您	14
hit, play (in a sport or game)	dǎ	打	13
hobby, interest	àihào	爱好	13
hold or attend a meeting	kāihuì	开会	26
honoured, noble, expensive	guì	贵	2
hospital	yīyuàn	医院	10
hot	rè	热	25
hotel	fàndiàn	饭店	14
hour	xiǎoshí	小时	23

how are things?	zěnmeyàng	怎么样	1
how long	duō cháng	多长	23
how long (time)?	duō jiǔ	多久	17
how many, how much	duōshao	多少	8
how many, what (date, time)	jǐ	几	4
how much (money)?	duōshao qián	多少钱	15
how old, how big	duō dà	多大	9
hundred	bǎi	百	14
hurry up, quickly	gǎnkuài	赶快	20

I

I, me	wǒ	我	1
idea	zhǔyi	主意	27
immediately, right now	mǎshàng	马上	19
in the process of	zhèngzài	正在	26
indicate a change of situation	le	了	10
indicating action in progress	zài	在	26
indicating ordinal number	dì	第	27
inside	lǐ	里	20
insurance	bǎoxiǎn	保险	10
introduce	jièshào	介绍	3
invite, to treat (to a meal etc.)	qǐng	请	7
it doesn't matter	méi guānxi	没关系	11
Italy	Yìdàlì	意大利	3

J

jog, run	pǎobù	跑步	13
Jones	Qióngsī	琼斯	3
just (doing something)	zhèng	正	26
just (emphasis)	jiù	就	23
just now	gāngcái	刚才	11
just, exactly	zhèng	正	16

K

kick, play	tī	踢	13
kid, child	háizi	孩子	9
know	zhīdào	知道	14

L

lamb	yángròu	羊肉	19
language	yǔ	语	3
last night	zuówǎn	昨晚	28

last, most recent, former	shàng	上	7
lawyer	lǜshī	律师	10
leave message	liúyán	留言	11
left	zuǒ	左	23
let, allow	ràng	让	14
let, allow, come	lái	来	3
like, enjoy	xǐhuan	喜欢	13
live, stay	zhù	住	8
London	Lúndūn	伦敦	3
long	cháng	长	16
look at, see, watch, read, visit	kàn	看	7
look for, find	zhǎo	找	11
lunch	wǔfàn	午饭	5

M

mail	yóujiàn	邮件	8
make a phone call	dǎ diànhuà	打电话	11
manager	jīnglǐ	经理	10
map	dìtú	地图	15
market	shìchǎng	市场	22
matter, things, issue	shì	事	11
may I ask, excuse me	qǐngwèn	请问	2
may, can	kěyǐ	可以	13
meal	fàn	饭	5
meat	ròu	肉	19
medicine	yào	药	28
medium size	zhōnghào	中号	16
meet, see	jiàn	见	1
menu	càidān	菜单	19
milk	niúnǎi	牛奶	21
minute	fēn	分	5
minute	fēnzhōng	分钟	23
mobile phone	shǒujī	手机	8
money	qián	钱	14
month	yuè	月	4
morning	shàngwǔ	上午	5
most, -est (superlative)	zuì	最	14
mother	mǔqin	母亲	9
Mr, gentleman, husband	xiānsheng	先生	2

Mrs, wife	tàitai	太太	3
Ms	nǚshì	女士	2
mum/mother	māma	妈妈	9
museum	bówùguǎn	博物馆	20

N

name	míngzi	名字	2
name of a Chinese city	Tiānjīn	天津	21
name of a Chinese city	Qīngdǎo	青岛	21
name of a city in China	Guǎngzhōu	广州	25
name of a city in China	Hā'ěrbīn	哈尔滨	27
name of a city in China	Chángchūn	长春	27
name of a city in China	Dàlián	大连	27
name of a city in the USA	Niǔyuē	纽约	25
name of a market in Beijing	Xiùshuǐjiē Shìchǎng	秀水街市场	22
name of an apartment	Dōnghuán Gōngyù	东环公寓	8
name of a park in Beijing	Běihǎi Gōngyuán	北海公园	22
name of a restaurant	Jīngchuān Fànguǎn	京川饭馆	17
name of a road in Beijing	Guānghuá Lù	光华路	23
name of an area in Beijing	Sānlǐtún	三里屯	21
nation, country	guójiā	国家	20
nearby	fùjìn	附近	14
Netherlands	Hélán	荷兰	3
newspaper	bàozhǐ	报纸	26
next (in time or order)	xià	下	7
next to, beside	pángbiān	旁边	23
nine	jiǔ	九	4
no problem	méi wèntí	没问题	15
no wonder	nánguài	难怪	29
no, not	bù	不	1
nobody, none	méirén	没人	11
noon	zhōngwǔ	中午	5
northeast	dōngběi	东北	27
not bad, pretty good	búcuò	不错	1
not have, there is not	méi	没	9
now, at the moment	xiànzài	现在	4

number	hàomǎ	号码	8
nurse	hùshi	护士	10

O

o'clock	diǎn	点	5
of course	dāngrán	当然	26
of, ~'s (possessive particle)	de	的	2
office	bàngōngshì	办公室	8
often	cháng	常	13
one	yī	一	4
online	wǎngshàng	网上	17
only	zhǐ	只	9
only, have to	zhǐyǒu	只有	29
open, start, operate (a car, machine)	kāi	开	5
opposite	duìmiàn	对面	23
or	huòzhě	或者	19
or (only used in questions)	háishi	还是	19
order dishes	diǎn cài	点菜	19
other	bié de	别的	16
overcoat	dàyī	大衣	16
overpraise, flatter	guòjiǎng	过奖	29
overseas edition	hǎiwàibǎn	海外版	26
overseas, abroad	hǎiwài	海外	26

P

painful	téng	疼	28
parents	fùmǔqin	父母亲	9
Paris	Bālí	巴黎	22
park	gōngyuán	公园	22
party, gathering, meeting	huì	会	7
pass, cross, go over	guò	过	23
passport	hùzhào	护照	20
password	mìmǎ	密码	20
Peking University (in China)	Běijīng Dàxué	北京大学	29
people	rénmín	人民	26
people, person	rén	人	3
People's Daily (newspaper)	《Rénmín Rìbào》	《人民日报》	26
person skilled in a certain	shī	师	10
pick up, receive	jiē	接	11
plain rice	báifàn	白饭	19

plan	jìhuà	计划	17
plan, intend	dǎsuan	打算	17
plane ticket	jīpiào	机票	17
play, have fun	wán	玩	13
please	qǐng	请	2
pork	zhūròu	猪肉	19
possible, probable	kěnéng	可能	27
pound sterling	Yīngbàng	英镑	14
practise, drill	liàn	练	29
primary school	xiǎoxué	小学	10
probably, roughly, about	dàgài	大概	11
problem, question, issue	wèntí	问题	15
profession			10
properly	hǎohǎo	好好	28
pub, bar	jiǔbā	酒吧	21
public	gōnggòng	公共	22

R

rain	yǔ	雨	25
real, true, really, truly	zhēn	真	11
recently, lately	zuìjìn	最近	1
recognise, know	rènshi	认识	2
red (colour)	hóng (sè)	红（色）	16
report, newspaper	bào	报	26
reservation, book ahead	yùdìng	预订	17
rest	xiūxi	休息	28
restaurant	fànguǎn	饭馆	17
restaurant	cāntīng	餐厅	20
retire	tuìxiū	退休	10
return	huí	回	11
ride	qí	骑	22
right	yòu	右	23
road	lù	路	8
roast duck	kǎoyā	烤鸭	7
Roger	Luójié	罗杰	3
Rome	Luómǎ	罗马	22
room	fángjiān	房间	8

S

| same, the same as | yíyàng | 一样 | 25 |

save	jiéshěng	节省	17
school	xuéxiào	学校	10
secretary	mìshū	秘书	10
see a doctor	kànbìng	看病	28
seem, look like	hǎoxiàng	好像	26
sell	mài	卖	15
send, appoint, assign	pài	派	27
seven	qī	七	4
Shanghai	Shànghǎi	上海	3
she, her	tā	她	2
ship, boat	chuán	船	22
shirt	chènshān	衬衫	16
shoes	xié	鞋	16
shop	shāngdiàn	商店	5
short	duǎn	短	16
should	yīnggāi	应该	17
siblings	xiōngdì jiěmèi	兄弟姐妹	9
sick, ill	bìng	病	28
side, edge	biān	边	23
single room	dānrénjiān	单人间	17
sit	zuò	坐	19
six	liù	六	4
small, little	xiǎo	小	9
smooth, successful	shùnlì	顺利	29
snow	xià xuě	下雪	25
snow	xuě	雪	25
so, like that, in that case	nàme	那么	29
so, such, like this	zhème	这么	29
software	ruǎnjiàn	软件	10
sometimes	yǒushíhou	有时候	25
son	érzi	儿子	9
sorry	duìbuqǐ	对不起	11
so-so	mǎmǎhūhū	马马虎虎	1
south	nán	南	23
speak	shuō	说	3
sport, exercise	yùndòng	运动	13
spouse, husband or wife	àiren	爱人	9
spring	chūntiān	春天	25

Spring Festival (Chinese New Year)	Chūn Jié	春节	4
square	guǎngchǎng	广场	20
Starbucks (name of a coffee shop)	Xīngbākè	星巴克	23
stomach, abdomen	dùzi	肚子	28
straight	yìzhí	一直	23
street	jiē	街	8
street name	Xīndōng Jiē	新东街	8
street name	Cháoyáng Lù	朝阳路	8
strong (for alcoholic drinks)	là	辣	21
student	xuésheng	学生	10
study, learn	xuéxí	学习	10
study, learn	xué	学	10
style	yàngzi	样子	16
style, type	shì	式	20
sugar	táng	糖	21
summer	xiàtiān	夏天	25
supermarket	chāoshì	超市	15
surf the Internet	shàngwǎng	上网	13
swim, swimming	yóuyǒng	游泳	13
	T		
table, desk	zhuō	桌	17
taste	wèidào	味道	21
tasty (drinks)	hǎohē	好喝	21
taxi	chūzūchē	出租车	22
teacher	lǎoshī	老师	1
telephone	diànhuà	电话	8
television	diànshì	电视	26
tell	gàosu	告诉	11
ten	shí	十	4
tennis	wǎngqiú	网球	13
thanks	xièxie	谢谢	5
that	nà	那	2
the beginning of, the early part of	chū	初	27
then, after	ránhòu	然后	27
things, goods	dōngxi	东西	14
this	zhè	这	2
this year	jīnnián	今年	4
thousand	qiān	千	14

three	sān	三	4
throat	sǎngzi	嗓子	28
Tiananmen Square	Tiān'ānmén Guǎngchǎng	天安门广场	20
ticket	piào	票	17
time	shíjiān	时间	7
times (for verb)	cì	次	27
tired	lèi	累	1
to be	shì	是	2
to, up to	dào	到	7
today	jīntiān	今天	4
together	yìqǐ	一起	7
tomorrow	míngtiān	明天	4
tourist map	yóulǎntú	游览图	15
towards	wǎng	往	23
traffic light	hónglǜdēng	红绿灯	23
train	huǒchē	火车	17
train station	huǒchēzhàn	火车站	22
travel	lǚxíng	旅行	27
trousers	kùzi	裤子	16
try, test	shì	试	16
tube station	dìtiězhàn	地铁站	22
tube, underground	dìtiě	地铁	22
turn	guǎi	拐	23
turn off, power off	guānjī	关机	11
Twitter	tuītè	推特	26
two	èr	二	4
two	liǎng	两	5
type, kind, sort	zhǒng	种	16

U

underground, basement	dìxià	地下	20
unit of RMB	yuán	元	14
unit of RMB (informal)	kuài	块	14
unit of RMB (informal)	máo	毛	14
university	dàxué	大学	10
US dollar	Měiyuán	美元	14
use	yòng	用	8
username	dēnglùmíng	登录名	20

	V		
vegetable dish	sùcài	素菜	19
vegetarian	sùshízhě	素食者	19
verb complement marker	de	得	29
very	hěn	很	1
very, extremely	fēicháng	非常	13
visit	cānguān	参观	20
	W		
wait	děng	等	11
waiter/waitress	fúwùyuán	服务员	19
want to, think, miss	xiǎng	想	13
want, need	yào	要	11
warm	nuǎnhuo	暖和	25
watermelon	xīguā	西瓜	15
way, means, method	bànfǎ	办法	29
wear	chuān	穿	16
weather	tiānqì	天气	25
website	wǎngzhàn	网站	17
WeChat	wēixìn	微信	8
week	zhōu	周	7
week, day of the week	xīngqī	星期	4
weekend	zhōumò	周末	7
well-know liquor	míngjiǔ	名酒	21
Western medicine	xīyào	西药	28
Western style	xīshì	西式	20
what kind?	shénmeyàng	什么样	17
what size?	duō dà hào	多大号	16
what time, when	shénme shíjiān	什么时间	7
What's the matter? What's wrong?	zěnme le	怎么了	28
what's your surname? (polite)	nín guìxìng	您贵姓	2
when	shénme shíhou	什么时候	7
when, while	... de shíhou	…的时候	26
where	nǎr	哪儿	8
where	nǎli	哪里	3
which	nǎ	哪	3
white (colour)	bái (sè)	白（色）	16
who	shuí	谁	2
why	wèishénme	为什么	17

Wi-Fi	wúxiànwǎng	无线网	20
wine, liquor	jiǔ	酒	21
winter	dōngtiān	冬天	25
wish, hope	zhù	祝	29
wish, hope for	zhùyuàn	祝愿	29
work, job	gōngzuò	工作	10
write	xiě	写	13

Y

year	nián	年	4
year (of age)	suì	岁	9
yes, that's right	shì de	是的	8
yesterday	zuótiān	昨天	4
you	nǐ	你	1
you (polite)	nín	您	2
you're too kind, you flatter me	nǎli nǎli	哪里哪里	29
you're welcome	bú kèqi	不客气	5
younger brother	dìdi	弟弟	9
younger sister	mèimei	妹妹	9

Z

zero	líng	零	4

Appendix VII   List of Tables

Túbiǎo
图表

Appendix·VIII   Writing Chinese Characters

Hànzì bǐshùn， bǐhuà
汉字笔顺、笔画

(1) Strokes

All Chinese characters are composed of strokes. Here are the basic ones.

	Stroke	Writing	Example
1	一	A horizontal stroke, from left to right	二
2	丨	A stroke, from top to bottom	十
3	丿	A diagonal stroke, from the top to the lower left corner	八
4	乀	A horizontal stroke, falling from the top to the lower right corner	人
5	丶	A dot, toward the lower right	六
6	𠃌	A bending stroke, from left to right and then turning downwards	口
7	㇚	A hook, that usually continues on from another stroke	九
8	㇀	A diagonal stroke, from the lower left to the upper right	习

(2) Rules of stroke order

When writing Chinese characters, one shanld follow the eight basic rules of stroke order below.

	Rules	Examples	Stroke order
1	The horizontal precedes the vertical	十	一 十
2	Left-falling strokes precede right-falling strokes	人	丿 人
3	Strokes move from left to right	从	丿 亻 㐅 从
4	Strokes move from top to bottom	众	丿 人 个 仐 分 众
5	Strokes move from the outside to the inside	月	丿 𠃌 月 月
6	Inside strokes precede the sealing stroke	日	丨 冂 日 日

| 7 | Middle strokes precede the two side strokes | 小 | 亅 亅 小 |
| 8 | Cutting strokes come last | 中 | 丨 冂 口 中 |

Chinese Characters Writing

Write the following Chinese number 1-10 using the rules.

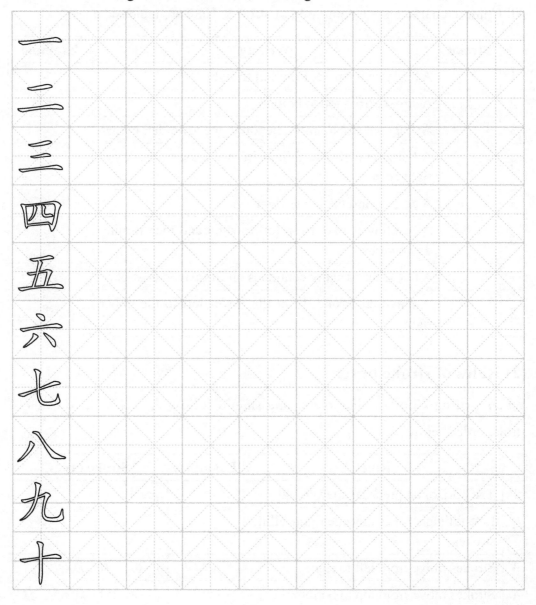

封面设计：厚　冬
责任编辑：翟淑蓉
英文编辑：韩芙芸
印刷监制：汪　洋

图书在版编目（CIP）数据

汉语直通车：汉、英 / 檀月编著 . -- 北京 ：华语教学出版社，2018.12
ISBN 978-7-5138-1649-6

Ⅰ . ①汉… Ⅱ . ①檀… Ⅲ . ①汉语－对外汉语教学－自学参考资料
Ⅳ . ① H195.4

中国版本图书馆 CIP 数据核字 (2018) 第 270641 号

汉语直通车

檀月（Moon Tan）编著

*

© 华语教学出版社有限责任公司
华语教学出版社有限责任公司出版
（中国北京百万庄大街 24 号 邮政编码 100037）
电话 : (86)10-68320585, 68997826
传真 : (86)10-68997826, 68326333
网址 : www.sinolingua.com.cn
电子信箱 : hyjx@sinolingua.com.cn
北京京华虎彩印刷有限公司印刷
2019 年（16 开）第 1 版
2019 年第 1 版第 1 次印刷
ISBN 978-7-5138-1649-6
定价 : 79.00 元